Fouad Laroui

Marocain de naissance, ingénieur et économiste de formation, professeur de littérature à l'université d'Amsterdam, romancier de langue française, poète de langue néerlandaise, éditorialiste, critique littéraire : Fouad Laroui court le monde, chargé de son sac de voyage et de sa vaste culture. Entre autres textes, Fouad Laroui est l'auteur chez Julliard de *La Femme la plus riche du Yorkshire* (2008), *Le jour où Malika ne s'est pas mariée* (2009), *Une année chez les Français* (2010), *L'Étrange Affaire du pantalon de Dassoukine* (2012) – prix Goncourt de la nouvelle –, *Les Tribulations du dernier Sijilmassi* (2014) – Grand Prix Jean-Giono –, *Les Noces fabuleuses du Polonais* (2015), *Ce vain combat que tu livres au monde* (2016) et *L'Insoumise de la Porte de Flandres* (2017). Il a reçu en 2014 le Grand Prix de la francophonie de l'Académie française.

CE VAIN COMBAT QUE TU LIVRES AU MONDE

DU MÊME AUTEUR
CHEZ POCKET

UNE ANNÉE CHEZ LES FRANÇAIS

LA VIEILLE DAME DU RIAD

TU N'AS RIEN COMPRIS À HASSAN II

L'ÉTRANGE AFFAIRE DU PANTALON DE DASSOUKINE

LES TRIBULATIONS DU DERNIER SIJILMASSI

LES NOCES FABULEUSES DU POLONAIS

CE VAIN COMBAT QUE TU LIVRES AU MONDE

FOUAD LAROUI

CE VAIN COMBAT QUE TU LIVRES AU MONDE

Julliard

Pocket, une marque d'Univers Poche,
est un éditeur qui s'engage pour la préservation
de son environnement et qui utilise du papier fabriqué
à partir de bois provenant de forêts gérées
de manière responsable.

ISBN 978-2-266-27563-7

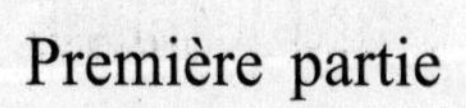

Première partie

1

Paris, au *Cannibale*

Elle remuait distraitement son verre, dans lequel s'entrechoquaient des glaçons. Elle pensait : « Je n'aime pas les glaçons. Pourquoi ne l'ai-je pas dit ?… J'oublie toujours et après je n'ose pas demander qu'on change ma commande… Boire froid, c'est mauvais pour le foie… »

Elle secoua la tête (« Concentre-toi, ma fille ! C'est un moment très important… ») puis murmura :

— C'est vrai, c'est sérieux ? Tu veux vraiment qu'on vive ensemble ? Qu'on habite dans le même appart'?

Ali jeta discrètement un coup d'œil au grand miroir qui reflétait leur image dans ce café de Paris, *Le Cannibale*, où ils avaient l'habitude de se retrouver. Ils formaient vraiment « un beau couple ». Elle, sensuelle (« beauté orientale »), discrètement maquillée, élégante. Lui… Il savait s'habiller, on lui reconnaissait cela. Et son profil de conquistador (qui lui avait dit cela ?… et qu'est-ce que ça signifiait exactement ?) attirait souvent les regards. Une collègue éméchée avait un jour évoqué son « regard de conquérant mongol »…

Malika reposa son verre, le sourcil froncé.

— Tu ne réponds pas ? Tu hésites ? C'est toi qui proposes et, déjà, tu te défiles ?

Ali se contentait de sourire, l'œil pétillant…

*

* *

Un instant ! Faisons une pause. Cette conversation, il lui manque… Que lui manque-t-il ? Éloignons la loupe, essayons d'avoir une vue globale – c'est le mot idoine, puisqu'il s'agit du globe, de la marche des choses, chaotique depuis toujours, mais *globalisée* depuis quelques décennies…

À cette conversation, il manque l'essentiel : le contexte. L'arrière-plan. Le fond.

Il manque l'Histoire.

2

L'Histoire

(Ici commence l'imposture : ce *l* apostrophe, ténu, discret, griffure qu'on remarque à peine, qui s'efface aussitôt prononcé, ce *l* fallot, *consonne constrictive liquide* qui meurt dans un souffle et, en expirant, nous trompe magistralement : *l'*Histoire ? au singulier ? Y en aurait-il *une seule* ?… un seul récit du monde ? Et si nos malheurs venaient de l'emploi de cet article mutilé et qui ment ?)

L'Histoire…

(La nôtre ou la vôtre ?)

L'Histoire, c'est la grande concasseuse, machine aveugle qui broie, ingère et puis rejette, brisés, de part et d'autre d'un grand partage, les corps de ces pantins qui s'étaient crus hommes, chacun maître de son destin, seulement préoccupé de vivre, de mener une vie qui en vaudrait la peine, qui aurait saveur à défaut de sens, accomplie comme l'œuvre d'art qui réjouit l'œil sans qu'on lui demande de dénouer une énigme, sans qu'on exige d'elle qu'elle nous parle de Dieu, de l'Homme, des fins dernières.

L'Histoire, au début de ce siècle que certains nomment XXIe et d'autres XVe (nous sommes alors en 1425 selon le calendrier musulman, George Bush *regnante*…), l'Histoire s'était emballée là même où elle naquit, il y a dix ou douze mille ans. Une coalition d'armées assemblées autour de l'antique Sumer, sous commandement américain, avait déferlé sur un pays, l'Irak, aux frontières floues, incertaines, tracées jadis dans le sable, y renversant tout sur son passage, libérant, comme un essaim de frelons ivres, des haines ancestrales, obscures mais terriblement meurtrières, aveugles puisque leurs causes s'étaient perdues et leurs circonstances oubliées.

Pendant ce temps, à Paris, en ce début de l'été 2014…

Pendant ce temps, à Paris, Ali et Malika (*nos* héros), Ali l'informaticien et Malika l'institutrice, et puis Claire, son amie, et Brahim, le cousin, menaient chacun sa petite vie. Comment auraient-ils pu deviner qu'une balle tirée là-bas, avec colère, avec fureur, dans l'antique Mésopotamie, leur était destinée ?

3

Au *Cannibale* (suite)

Malika reposa son verre, le sourcil froncé.

— Tu ne réponds pas ? Tu hésites ? C'est toi qui proposes et, déjà, tu te défiles ?

Ali, un peu confus d'avoir été surpris se mirant dans une glace, s'empressa de répondre.

— Non… je veux dire : oui. Oui ! Ça fait quand même six mois qu'on est ensemble. Pourquoi continuer de payer deux loyers ? En plus, à Paris, les loyers…

Malika prit un ton moqueur.

— Ah d'accord, c'est une question d'argent… Tu cherches une coloc', c'est ça ? Très romantique…

— Je ne cherche pas une coloc', je cherche *ta* compagnie, *miss* Malika Rochdi. De façon permanente. Matin, midi et soir.

— Tu veux me voir tous les jours avec mes bigoudis roses et bleus sur la tête ?

Ali eut l'air étonné.

— Ça existe encore, les bigoudis ?

— Et comment tu crois que j'ai ces bouclettes ?

Elle se redressa en secouant la tête, faisant ainsi onduler sa chevelure.

— Ben, c'est génétique, non ? répliqua Ali. Pas besoin de bigoudis, ça vient du Rif ou de l'Atlas, ces belles bouclettes. C'est pure nature…

— Ouais… Et l'eau calcaire du XIe ne les a pas fait disparaître…

— Bon, trêve de bigoudis et de bouclettes ! T'en penses quoi, on habite ensemble ?

Malika se mit à se mordiller les lèvres.

— Je ne sais pas… C'est une grande décision, quand même. Ce n'est pas rien, partager son quotidien, son intimité vingt-quatre heures sur vingt-quatre.

— Oui, bon, il nous arrivera aussi de dormir…

— Tu es bête… Quand même, c'est quelque chose… Supporter les habitudes, les manies, les lubies de l'autre…

Ali leva la main droite, comme un témoin devant le juge, et débita :

— Je n'ai pas de manies, je n'ai pas de lubies…

— C'est ça… En tout cas, moi, j'en ai.

— Par exemple ?

— Par exemple, la nuit, je me relève deux ou trois fois pour vérifier que la porte d'entrée est bien fermée.

Ali réprima un sourire.

— Tu as peur du grand méchant loup ?

— Plutôt du gentil petit cambrioleur. Qui pourrait m'estourbir d'un coup de clé à molette.

Ali prit un air fat et redressa la tête.

— Voilà une manie que tu perdras vite en habitant avec moi. Je serai là pour te protéger. Je serai le grand méchant loup qui te protégera des cambrioleurs.

— Et je gagne quoi, dans cette affaire ?

— Il vaut mieux avoir le loup dedans que dehors, non ? Et puis, tu pourras l'apprivoiser, comme dans *Le Petit Prince*.

— C'était un renard, idiot.

— Pas dans la version marocaine…

Elle le regarda, déconcertée, puis comprit qu'il plaisantait.

— Bon, soyons sérieux. Tu es sûr que tu es prêt à ça, toi ? Vivre avec mes petites manies qui peuvent devenir irritantes, à la fin ?

Il se fit faussement interrogateur, le sourcil arqué au-dessus de l'œil gauche :

— Quelle fin ?

— C'est juste une expression. « À la fin, à la longue… » Tu sais bien ce que je veux dire : et si la vie quotidienne nous bouffe… nous gâche… ?

Elle s'énervait, ne trouvait plus ses mots. Elle avala d'un trait ce qui restait de son mojito. Ali l'observait, moqueur. Il susurra :

— Nous gâche quoi ? La vie nous gâche… la vie ? C'est profond, ça…

— Arrête de plaisanter, c'est important, ce que je dis.

Ali lui prit la main et la serra.

— Je sais que c'est important, c'est pour ça que je plaisante… Je comprends tes doutes. Et je te réponds : oui. Je suis prêt à tenter le coup.

Elle le regardait intensément, comme si chaque mot avait une signification nouvelle, qu'il fallait cerner. Il continua.

— Il ne faut pas non plus se mettre trop de pression. Si ça ne marche pas…

Il s'interrompit pour boire une gorgée de son mojito puis, comme si une image absurde ou grotesque venait de se former dans sa tête, il s'esclaffa :

— Si, par exemple, ma tête de loup hou hou hou ne te revient pas, un beau matin… eh bien tant pis ! Tu t'en iras, comme la chèvre de M. Seguin.

Malika eut un rire bref et nerveux.

— La chèvre de M. Seguin, elle ne s'est pas sauvée, elle a finie dévorée par le loup.

Ali grommela, légèrement vexé :

— Oui, bon, je n'ai pas été à l'école en France, moi…

Puis :

— En tout cas, moi, je ne te dévorerai pas. Si tu veux partir, tu partiras… On est libres de faire machine arrière, de changer d'envie…

— Changer de quoi ?

— Je veux dire : changer *d'avis*.

— Tu as dit : changer *d'envie*. C'est juste une envie ? Ça passe vite…

— Arrête avec tes trucs de psy. Ma langue a fourché, c'est tout. J'essaie de te dire que c'est sérieux. Je veux partager ma vie et…

Il cherchait ses mots.

— Expérimenter, c'est ça ! Comme un voyage, une aventure…

— Tu ne pars pas avec la partenaire idéale, tu en as bien conscience ? J'ai beaucoup de défauts, je suis un peu paresseuse… et j'aime ça ! Et puis, je suis nulle en cuisine. Je ne suis pas le genre « fée du foyer » qui prépare de bons petits plats à son mari affamé, au retour du boulot…

— Tu sais quand même faire cuire un œuf ?

— Je suis nulle. D'ailleurs, tu le sais. Je ne t'ai jamais régalé d'un… je ne sais pas, moi… d'un *bœuf mironton*, tiens. Je ne sais pas même pas ce que c'est…

Ali se redressa un peu et prononça avec emphase :

— On se passera du bœuf, on vivra d'amour et d'un œuf.

Les yeux de Malika pétillaient.

— C'est beau, les amours neufs…

Elle avait intentionnellement prononcé le *f* de « neufs ». Ali fit semblant d'être choqué puis la corrigea, le doigt levé :

— Les amours *neuves*. Amour est masculin au singulier, féminin au pluriel. On peut dire « un amour de Marocaine »…

Il fit un geste enveloppant, comme s'il la présentait à quelqu'un.

— … mais il faut dire « les amours z'enfantines ». *Le vert paradis des amours enfantines*…

— Je sais, répliqua Malika. Je l'ai appris à l'école mais il m'arrive de l'oublier. Toutes ces bizarreries de la langue…

Ali, assis très droit sur sa chaise, énonça sur un ton pédant :

— Il y a trois mots qui changent de sexe en français : « amour », « délice » et « orgue ».

— Dis donc, tu en sais des choses, pour quelqu'un dont-le-français-n'est-pas-la-langue-maternelle… *Amours, délices z-et orgues*… On dirait le programme d'un week-end en amoureux dans un petit village de Bretagne, avec une bonne pâtisserie et une église, pour l'orgue. Tu me promets « amours, délices z-et orgues » de temps en temps, même si on habite ensemble ?

— Pourquoi, de temps en temps ? Ce sera toujours comme ça. Toute la vie sera un long week-end en Bretagne.

Malika fit la moue.

— Un jour, tu commenceras à me faire des reproches. Les Marocains ont tellement l'habitude des bons petits plats préparés par leur maman…

Ali fronça les sourcils, contrarié.

— Qu'est-ce que j'ai à voir avec « les Marocains » ?

— T'en es un, non ? Ou alors, tu m'as raconté des craques ? Tu es suédois ?

— Attends, ça fait dix ans que j'habite à Paris, j'ai un passeport français, je vais rarement « au bled », comme ils disent…

— Ouais… *Quoi qu'il en soit*... Ne me dis pas que tu as oublié les petites *chhiwates*[1] que te faisait ta maman ?

— C'est loin, tout ça… Je suis parisien, maintenant. Ici, les grands chefs sont tous des hommes. C'est moi qui ferai la cuisine ! Les jours de fête, je nous mijoterai une *dal'a*, c'est succulent…

— Une *da-la* ? C'est quoi, ça ?

Ali haussa les épaules.

— Dis donc, tu ne sais pas grand-chose, en cuisine… Une *dal'a,* c'est de l'épaule d'agneau au safran. C'est vrai que toi, t'es pas vraiment marocaine. T'es une petite beurette.

Malika grimaça et secoua la tête.

— Ah non, pitié ! Je déteste ce mot ! C'est d'un ringard…

— T'es pas une beurette ?… « née en France de parents maghrébins » ?

---

1. Friandises.

— Ben oui, je suis née ici, à Paris, dans le XIe. C'est un défaut ?

— Non, mais tes parents auraient pu t'apprendre le mot *dal'a.* Avec la bonne prononciation. *Dal'a.*

Malika articula avec application :

— Da-la.

— Mais non, pas *da-la.* On n'est pas au Tibet, on ne va pas manger le dalaï-lama.

Ali se mit à fredonner, sur l'air des *Filles de mon pays !*

— Daï daï daï dalaï dalaaaaï dalaï…

— Arrête ! Tout le monde nous regarde.

Un garçon de café arriva, le sourcil froncé, l'air légèrement inquiet.

— Oui ? On peut vous aider ?

Ali le regarda un instant, l'air indécis, comme s'il ne comprenait pas pourquoi cet homme était intervenu dans une affaire qui ne le concernait pas, puis il lui décocha un grand sourire.

— Remettez-nous ça. Deux mojitos, s'il vous plaît.

Le serveur s'éloigna sans mot dire. Ali reprit le cours de la conversation.

— Je ne te ferai de l'épaule d'agneau que si tu arrives à prononcer correctement le mot, comme tes ancêtres, là-haut dans l'Atlas : *Dal'a ! Dal'a !* Le *'ayn*, c'est très important.

— Oui, bon, je ne vais pas m'arracher la gorge juste pour avoir l'honneur de déguster ton épaule… d'agneau.

— C'est pas grave, je t'en ferai quand même. *Pour l'amour de l'humanité.*

Ces derniers mots furent prononcés avec une emphase feinte mais ce fut sur un ton sérieux qu'il revint au sujet :

— Alors, tu lâches ton appart' et tu viens habiter chez moi ?

— Pourquoi pas l'inverse ? C'est sympa, Belleville… Et puis, il est grand, mon appart'. Plus grand que ton studio de la rue de Reuilly. Et je suis à deux pas de mon boulot…

— Ouais, on pourrait faire comme ça. Du coup, tu divises par deux ton loyer.

— Ça m'arrangerait. J'adore les enfants mais je ne gagne pas des masses à l'école.

Le serveur apporta les mojitos qu'il disposa soigneusement sur le guéridon étroit qui séparait les deux clients, puis il y déposa une soucoupe de plastique contenant l'addition. Ali prit son verre et le leva. Un large sourire éclairait son visage.

— On trinque à notre vie nouvelle ?

Ils entrechoquèrent leurs verres en se regardant dans les yeux. Malika pouffa.

— Deux Marocains qui trinquent au mojito, c'est un peu bizarre, non ? Ça ne va pas nous porter la poisse ?

— C'est le monde à l'envers ! La fille de la République et de Voltaire est superstitieuse… et c'est le *z-magri*[1] qui se fiche du Ciel ?

— Idiot.

— On ne respecte pas son mari ?

— Même pas mon coloc', déjà mon mari ? Ça s'appelle brûler les étapes…

Ali but une gorgée de son mojito et se leva.

— À propos d'étapes, mon vélo m'appelle, je dois y aller.

— Tu vas où ?

---

1. L'immigré.

— Je rentre chez moi. Je dois finir un truc, un programme assez compliqué.

— Tu travailles un samedi ?

— Pas de repos pour les gueux.

— Eh bien, va-t'en, gueux qui préfère un ordinateur à sa copine.

— Et toi, tu fais quoi ?

— Je vais appeler Claire. On va au théâtre.

Il se pencha et l'embrassa sur le bout des lèvres. Elle sentait bon la menthe.

Dehors, le soleil brillait. Ali s'arrêta devant un kiosque : son regard avait été attiré par la couverture d'une revue. Elle évoquait le Proche-Orient, son passé tourmenté, les guerres qui s'y déroulaient… Sans trop savoir pourquoi, il en prit un exemplaire et tendit un billet au kiosquier. En attendant sa monnaie, il ouvrit au hasard la revue et tomba sur un titre en apparence anodin.

LES ACCORDS SYKES-PICOT

Il plissa les yeux.

Ça lui rappelait vaguement quelque chose.

4

Sir Mark et môssieur François

Ça lui rappelait vaguement quelque chose... Au moment où Ali attend sa monnaie, devant le kiosque, en 2014 donc, qui connaît ces deux noms, Sykes et Picot, en Europe ? Qui s'en soucie ? Personne, ou presque. En revanche, dans le monde arabe, on le connaît bien, ce couple maudit lié par un tiret indissoluble, ces syllabes qu'on crache comme une malédiction, ce nom composé synonyme de mauvais coup, de trahison, de forfaiture. « Sykes-Picot », c'est l'origine d'un monde mal agencé, branlant, de guingois. C'est la genèse de nos malheurs. L'Histoire...

*
* *

Ça ne s'est certainement pas passé comme ça.

M. Sykes et M. Picot[1] ne se sont pas rencontrés, il y a un siècle, dans une grande pièce mal chauffée du

1. Georges-Picot, pour être exact, mais on dit « Picot », le plus souvent.

Foreign Office[1], avec des fauteuils *profonds comme des tombeaux* et des tapisseries aux murs et, quelque part, un buste de Victoria.

Ils ne se sont pas serré la main avec vigueur, Sykes par habitude, Picot pour l'occasion, ne voulant pas donner l'impression qu'il était une femmelette (« le *handshake*, chez les rosbifs, c'est sérieux, Picot ! »).

Ils n'ont pas déployé sur l'imposante table, au milieu de la pièce, des cartes détaillées de ce Proche-Orient qui était au menu ce jour-là.

Non, Picot n'a sans doute pas été vulgaire, une main velue de maquignon posée sur une partie de la carte, éructant : « Ça, pas touche, hein ! bas les pattes, Sykes ! c'est à nous, ça, chasse gardée ! », l'autre hochant la tête, silencieux, ruminant des compensations.

« La France, fille aînée de l'Église, protectrice naturelle des maronites du Liban », Picot n'a jamais dit cela, il l'a peut-être pensé[2], le nonce apostolique le lui avait peut-être rappelé au Quai d'Orsay, visiteur discret mais pressant, mais il ne l'a pas prononcée, cette phrase, Picot. En tout cas, c'est peu probable, et il n'a peut-être jamais vu le nonce, Picot, pas plus que vous ni moi.

Sykes n'a pas « parlé pétrole », on n'en était pas encore obsédé, à l'époque, même si son utilisation, en Mésopotamie, remonte à l'Antiquité, même si l'Anglo-Persian Oil Company, fondée en 1909, faisait déjà des affaires là-bas au moment où Sykes ralluma, gentleman jusqu'au bout des ongles, le cigare éteint de Picot.

---

1. En fait, les accords Sykes-Picot ont été signés à Downing Street et non au Foreign Office.

2. Il l'a certainement pensé : Picot entretenait d'excellentes relations avec les maronites du Liban.

Ça se trace comment, une frontière ? Il y a, bien sûr, ce qui est *naturel* : les lignes de faîte, les lignes de partage des eaux, les thalwegs. Il y entre aussi, peut-être, des considérations *ethniques* : « Cette tribu, Picot, cette tribu qui est notre alliée, elle mène ses chameaux paître ici ! » L'index du baronnet désigne un point sur la carte et Picot se penche, ajuste son monocle, s'efforce de distinguer ce que l'autre prétend voir…

Et puis, il y a l'affaire du *crayon*.

Commençons par un peu de mathématiques. Qu'est-ce qu'une *ligne* ?

Euclide : « Une ligne est une longueur *sans largeur*[1]. »

Sykes et Picot croient tracer des lignes sur ces cartes étalées devant eux comme autant de catins consentantes, mais Euclide et tous les mathématiciens du monde auraient poussé les hauts cris devant l'incompétence des deux compères. Ce qu'ils faisaient, *sir* Mark et môssieur François, ce n'était pas tracer des lignes mais dessiner des *parallélépipèdes*. Infiniment plus longs que larges, certes, mais des parallélépipèdes, malgré tout.

La faute à qui ? Pas à Sykes-Picot, non, non.

La faute à qui ? La faute au crayon ! La mine du crayon ne peut pas inscrire sur le papier une longueur sans largeur, c'est impossible : aussi fine soit-elle, la mine trace un trait qui a une certaine largeur.

Et alors ?

Et alors, sur le terrain, cette largeur qui semblait infinitésimale devient tout à coup considérable. Le parallélépipède a quelques kilomètres de large. C'est suffisant pour le transformer en cage. Ou en *casus belli*.

1. *Les Éléments*, livre I, définition 2.

Il est à qui, le parallélépipède ? à l'Irak ? à la Syrie ? Au Liban ? à Israël ? à qui appartiennent les quatorze fermes de Chebaa, sur les pentes du mont Hermon ? Sont-elles syriennes, libanaises, israéliennes ?

— Un peu de porto, mon cher Picot ?

— Non merci, Sykes, jamais d'alcool avant la fin de l'après-midi.

— Allons, faites une exception, que diable ! nous fêtons quelque chose d'important, cet *agreement* (geste balayant la table couverte de cartes) entre nos deux pays. Nos deux empires ! Même si le vôtre est une république.

— Juste un doigt, alors.

Ce dialogue, je suis bien certain qu'il n'a jamais retenti sous le plafond de cette grande pièce, ce 16 mai 1916, car je viens de l'inventer.

Les deux hommes ne sont pas sortis du Foreign Office bras dessus, bras dessous, pour aller dîner au club de Sykes (White's ? Brook's ? The Atheneum ?).

Ça ne s'est certainement pas passé comme cela.

Cela dit, on sait deux ou trois choses sur les deux bonshommes. Que raconte la notice biographique (la vraie)? « Sir Mark Sykes (1879-1919), aristocrate anglais, propriétaire terrien dans le Yorkshire, 3e baronnet,…

(On peut se demander comment un propriétaire terrien, sensible aux problèmes de *bornage*, de *clôture*, de *murs mitoyens*, pouvait ainsi disposer de la terre des autres… Mais les autres, les bougnoules, les *wogs*, n'étaient pas des baronnets.)

… aventurier et conseiller diplomatique, particulièrement spécialisé dans ce qui touche au Moyen-Orient. Attaché au War Office entre 1915 et 1916, il y devient assistant du *secretary* [ministre] jusqu'en 1919, date à laquelle il mourut à Paris, âgé de quarante ans, de la grippe espagnole. »

Que dit l'autre notice biographique ?

« François Georges-Picot (1870-1951), né à Paris, diplomate. Il est consul de France à Beyrouth peu avant la Grande Guerre. Membre du Parti colonial [en fait, un groupe parlementaire formé en 1889], c'est un partisan de la "Syrie intégrale" sous mandat français (d'Alexandrette au Sinaï, de Mossoul au littoral méditerranéen). Il est nommé haut-commissaire en Palestine et en Syrie de 1917 à 1919. »

Détail insolite : Picot était le grand-oncle de Valéry Giscard d'Estaing.

Non, ça ne s'est certainement pas passé comme cela[1].

Mais cela ne fait aucune différence : *dans l'imaginaire des Arabes, cela s'est passé comme cela*, ou avec mille variantes qui rendent odieux, sataniques, inconscients l'un et l'autre des deux signataires.

C'est important, l'imaginaire des peuples. Ce monde d'idées parfois fausses, de constructions paradoxales, de mythes et de préjugés est parfois plus réel, par ses effets, que le monde réel, « la totalité des *faits*[2] ».

Ce n'est pas après avoir considéré « la totalité des faits » que des jeunes gens se font djihadistes, font

1. Sykes et Picot n'ont peut-être rien négocié. Tout était sans doute dans les lettres échangées au cours des mois précédents entre Paul Cambon, ambassadeur de France à Londres, et Edward Grey, secrétaire d'État au Foreign Office.

2. Ludwig Wittgenstein, *Tractatus logico-philosophicus*, 1.1, nous soulignons.

allégeance à un calife de cauchemar et vont se faire exploser dans la foule, à Samarra ou à Irbil.

Dans l'imaginaire des Arabes, les accords Sykes-Picot constituent un des grands *désastres* du XXe siècle.

Il faut prendre tout cela au sérieux.

— Oui, mais quel rapport avec Ali et Malika ?
Patience.

5

Concubins !

Les deux jeunes femmes s'étaient donné rendez-vous à *L'Assassin*, rue Jean-Pierre-Timbaud. Claire avait relevé ses cheveux blonds en une sorte de chignon banane qui attirait les regards.

— Tu vas vraiment t'installer avec Ali ?

Claire était étonnée, ou alors elle jouait parfaitement l'étonnement, avec un sourcil en accent circonflexe, la bouche légèrement entrouverte. Malika se mit à rire.

— Il ne te manque qu'un petit filet de bave, là, au coin des lèvres, on dirait que je t'annonce la nouvelle du siècle… Ben oui, il va venir habiter avec moi… chez moi. Ça va devenir « chez nous »… On était au *Cannibale*, on a trinqué au mojito, c'est donc très sérieux.

— Attends, attends… C'est pas toi qui disais : « Je ne me mettrai jamais avec un Maghrébin, je suis française, moi, ils sont trop machos, ils traitent les femmes comme des bonniches, bla-bla-bla »…

— J'ai dit ça, moi ?

— Vingt fois !

Malika haussa les épaules.

— Ali est très différent. Il me voit vraiment comme son égale. Je le connais depuis des mois, on sort ensemble, on a discuté pendant des heures… Et puis, bon, il a son boulot, j'ai le mien, chacun aura sa vie…

Claire se pencha et caressa la joue de son amie, moqueuse :

— Tu *me* quittes pour un Maghrébin ! Je vais me venger… Je vote Le Pen aux prochaines élections !

Malika lui prit la tête entre les mains.

— Je ne te quitte pas, tu seras toujours ma meilleure amie.

Claire se dégagea.

— Ouais… On s'appellera de temps en temps, c'est ça ?

— Mais non ! J'en ai parlé avec Ali. Rien ne va changer. Je te l'ai dit : chacun aura sa vie. D'ailleurs, on ne va pas se marier, on va habiter ensemble, c'est tout. Et puis, si ça ne marche pas…

— Et qu'en pensent tes parents ?

Malika resta silencieuse quelques instants. L'image de ses *géniteurs* – ce mot lui venait aux lèvres quand elle était triste ou en colère – semblait flotter devant ses yeux mais – c'était curieux – elle les voyait en noir et blanc, comme sur une vieille photo. Le sourire forcé du père s'était figé en un morne rictus, le visage de la mère était flou, on distinguait à peine ses traits, elle disparaissait derrière la silhouette de son mari. Elle finit par soupirer.

— Mes parents ? Il y a longtemps qu'ils ont renoncé à me faire la moindre remarque. Il y a deux ans, tu te souviens, quand j'ai loué mon appart' et que j'ai quitté leur HLM de la rue de Charonne ? Ça, c'était dur pour eux… Ils l'ont très mal pris, surtout mon père. Quand je leur ai dit que je partais, il a d'abord ouvert grand la bouche… Puis il s'est mis à grommeler, à râler… puis carrément à hurler. J'étais devenue une étrangère. Une Française, quoi. Tout ce que j'ai entendu… « Une fille bien, elle reste chez ses parents jusqu'au mariage ! », « Qu'est-ce qu'ils vont dire, la famille, au Maroc ? », « Tu vas vivre seule, comme une *zoufria* ? »

— Une quoi ?

— Une *zoufria*. Ça vient du mot « ouvrier », genre le prolo célibataire qui fait les quatre cents coups. Les z-ouvriers, les *zoufris*… D'où : la *zoufria*, pour vous servir !

Elle salua cérémonieusement.

— Dans la bouche de mon père, c'est l'abomination, l'injure suprême.

— Une pute, quoi ?

— Presque… Entre-temps, ils ont bien changé. L'autre jour, je suis allée les voir, juste pour dire bonjour, c'était quand même l'Aïd… Mon père avait à peine l'air de me reconnaître… Il me regardait en coin, la bouche ouverte… Je crois qu'il perd la tête, le pauvre. Alzheimer, ou quelque chose du genre.

— Et ta mère ?

— Ma mère, elle parlait au téléphone avec sa sœur de Casablanca, elle lui a dit : « Malika, c'est une Française, maintenant… »

— Elle l'a dit devant toi ?

— Non, dans la pièce d'à côté, mais j'ai entendu. Ça m'a fait de la peine. Je crois qu'ils ont fait une croix sur moi…

— Revenons à ton prince charmant. A-li… Ça veut dire quoi, *Ali* ?

Malika prit un petit air snob :
— Ça veut dire « grand », « éminent ».
— Et je la rencontre quand, « Son Éminence » ? Tu sors avec lui depuis six mois et je ne l'ai jamais vu. Tu le caches ?
— Il travaille comme un fou, ils l'exploitent complètement dans sa boîte.
— Il est dans les ordinateurs, c'est ça ?
— Oui : ingénieur informatique, un truc très pointu, il m'en a parlé plusieurs fois, c'est plein d'équations, y a des mots compliqués, je n'y comprends rien. Il est sur un contrat très important, il fait souvent l'aller-retour Paris-Toulouse pour le préparer, il y a Dassault dans le coup, il paraît que c'est très sensible… Il ne me dit pas tout.
— Ouh là là… Que de mystères… C'est James Bond ? « Mon nom est Bond… *Ali* Bond ! »
Elles se mirent à rire.
— Tu vas te mettre avec un type « qui ne te dit pas tout » ? Ça commence bien… Ça finira par le mutisme intégral.
— Tu es bête, c'est juste son boulot, il y a du secret-défense dedans.
— Oh là là, c'est passionnant… Tu sors avec un espion qui fabrique des bombes atomiques ?
Elle jeta les bras en l'air et cria :
— Boum !
Aux tables les plus proches, quelqu'un sursauta et laissa tomber son verre, un vieux monsieur poussa un petit cri, des visages courroucés se tournèrent vers les deux amies. Claire plongea le nez dans son verre et se fit toute petite.
Malika la gronda.

— C’est ça, fais-toi remarquer…

— Oh ça va… Et je le rencontre quand, Einstein ?

— Mais tout de suite. On a rendez-vous ici même.

Quelques instants plus tard, Ali entrait dans le café. Malika fit les présentations, en prenant un air exagérément sérieux.

— Claire, ma meilleure amie. Ali, mon futur concubin.

Ali et Claire se firent la bise, un peu raides. Il s’assit entre elles et murmura :

— C’est laid comme mot : « concubin ».

— C’est vrai, ça ne sonne pas bien mais ce n’est pas de ma faute. Ce n’est pas moi qui ai inventé la langue française.

Elle se tourna vers Claire qui protesta, hilare :

— Pourquoi tu me regardes ? Ce n’est pas moi non plus. En plus, je suis à moitié russe.

Ali poursuivait son idée :

— Au lieu de « concubin », tu pourrais dire « partenaire ».

— *Partenaires ?* Attends… on va jouer au bridge ? Comme les dentistes à la retraite ? Ce n’est pas comme ça que je voyais nos longues soirées d’hiver…

— Tu pourrais dire : mon « fiancé ».

— Oh, là, là… « Mon fiancé », c’est ringard, ça ne se dit plus, ou peut-être en Provence… Mais si tu y tiens…

Elle refit les présentations, sur un ton guindé, avec des gestes de comédienne :

— Claire, toujours ma meilleure amie. Ali, mon fi-an-cé, le roi des logiciels.

Claire et Ali se regardaient en souriant.

6

Leur Lawrence et le nôtre

L'Histoire est riche de trahisons. Pour les Arabes, l'une des plus perfides de leur passé récent pourrait porter des noms anglais, s'il fallait la nommer, des noms qui s'entremêlent, une sorte d'appel des accusés au tribunal de l'infamie : Lawrence, Sykes, Henry McMahon, Balfour…

Levez-vous !

Commençons par Lawrence. Lawrence d'Arabie. *L'Amant d'Arabie*[1]. C'est qui ? J'ai parfois posé la question, on m'a répondu :

— Ah oui ! Peter O'Toole, le regard perçant (un bleu d'acier), le corps ascétique, l'accent distingué, la finesse des traits…

Excusez-moi de vous interrompre. On vous parle d'Histoire, vous évoquez un film.

— Oui, mais sept oscars…

Oublions cela. Ouvrons plutôt l'encyclopédie. On y lit quoi ? Ceci : Thomas Edward Lawrence, né

1. Mathieu Lindon, *Jours de Libération*, P.O.L, 2015, p. 89.

à Tremadog, dans le pays de Galles, le 16 août 1888, mort près de Wareham, dans le Dorset, le 19 mai 1935.

Profession ? Archéologue, officier, aventurier, espion ; et *écrivain*, si on peut considérer cet état épisodique, cette névrose productive, comme une profession. Mais il n'y a pas à barguigner : *Les Sept Piliers de la sagesse* est un chef-d'œuvre, même si certaines formulations nous semblent un peu baroques aujourd'hui. On y trouve ce genre de phrase, où la réflexion se pare des beaux atours du style : « Nous avions travaillé désespérément à labourer un sol en friche, tentant de faire croître une nationalité sur *une terre où régnait la certitude religieuse, l'arbre de certitude au feuillage empoisonné* qui interdit tout espoir. »

(Belle prémonition… S'il avait pu voir la catastrophe actuelle…)

— Dans Lawrence d'Arabie, le film…

Tiens, vous revoilà.

— Dans le film, il y a cet épisode où Lawrence, téméraire ou complètement inconscient, se rend dans un village tenu par les Turcs. Il est pourtant recherché, sa tête est mise à prix…

On est dans un *western* ?

— Il est fou, non ? Complètement gaga ? Le gars est blond, il a la peau blanche, ses yeux sont gris…

Vous disiez « bleus » plus haut.

— Qu'importe. Disons *gris-bleu*. Et il se promène le nez au vent derrière les lignes ennemies ! Gaga, je vous dis… Bref, il est reconnu par une patrouille turque (v'là les archers !), il est fait prisonnier, on le torture, peut-être le viole-t-on un peu – n'y avait-il pas un gradé turc qui m'avait l'air particulièrement vicieux…

Vous l'avez vu ?

— Oui. Je veux dire : dans le film.

Ah, ah, *le film.*

— En souvenir de cet épisode, il se serait fait fouetter chaque année. Vlan ! Aïe, aïe, aïe… Vilain maso… C'est vrai, cette histoire ?

On ne sait pas… Il l'a raconté mais certains historiens mettent en doute la réalité de cet épisode.

— Elle affabule, *Florence* d'Arabie ?

Vous êtes vulgaire. Allez-vous-en ! Ou si vous restez, si vous continuez à me faire l'honneur de lire ce roman, sachez ceci : les Arabes ne connaissent pas ces anecdotes, ces détails scabreux. Ils s'en moquent bien. Voilà *leur* récit, s'il vous intéresse : Lawrence est un officier anglais en maraude en Arabie, alors plus ou moins soumise au joug des Ottomans. Sa mission ? Aider les Arabes à se débarrasser des Turcs. Nous sommes en pleine guerre mondiale, les Turcs ont choisi le camp allemand, ils sont donc l'ennemi de l'Angleterre. Lawrence porte l'habit arabe…

— … qui lui sied à ravir, il y a de ces scènes…

Taisez-vous ! Il monte adroitement à chameau, adopte nombre de coutumes locales…

— On se demande bien lesquelles.

Il devient bientôt proche du prince Faysal dont il a reconnu les qualités : intelligence, sang-froid, autorité naturelle. Maintenant, écoutez bien. C'est là le nœud du problème. Pour les Arabes, Lawrence a convaincu ses supérieurs, au Caire et à Londres, de l'intérêt pour le Royaume-Uni de voir émerger une grande Arabie, unie et indépendante, qui engloberait la Syrie, la Jordanie, la Palestine et ce que nous appelons aujourd'hui l'Irak, l'Arabie saoudite, le Koweït, etc. Vous me suivez ?

— À peine. C'est ennuyeux. Et puis c'est vieux, tout ça… On peut revenir au roman ?

En revanche, dans le récit européen, Lawrence ne soutient pas ce projet, qui était plutôt celui du chérif Hussein de La Mecque. Pour Lawrence, le Hedjaz, la Jordanie, l'Irak, la Syrie, etc., devaient former autant d'États, enfermés chacun dans leurs frontières. C'était l'intérêt des Anglais de morceler le Moyen-Orient (*divide and rule*, n'est-ce pas…) – et Lawrence était anglais, après tout.

— Mais qui a raison ? Que voulait vraiment Peter… euh… Lawrence ?

Mais personne n'a raison ! Tout le monde a raison ! La question n'a pas de sens : l'important, c'est de constater qu'il y a deux récits différents. Deux Lawrence, en somme.

— Chacun vit son rêve ?

Bien dit. Enfin une parole intelligente.

— Merci.

Notez toutefois que dans la logique du Lawrence européen, la Syrie devait acquérir une réelle indépendance. Les deux récits se rapprochent, à se toucher… mais en juillet 1920, la colonne française du général Goybet, précédant le fameux Gouraud, bat les troupes chérifiennes et chasse Faysal de Damas. C'en était fini de cet aspect-là du plan de Lawrence : une Syrie indépendante.

— Il y croyait vraiment ?

On ne sait pas. Lui-même écrivit : « Si nous gagnons la guerre, les promesses faites aux Arabes ne seront qu'un chiffon de papier. »

— C'est du cynisme.

Non : de la lucidité. Reprenons le récit arabe. Oublions un instant les spéculations sur les intentions de Lawrence. Il y a aussi des faits, des documents. Le chérif de la Mecque, Hussein ben Ali, et le haut-commissaire britannique en Égypte, sir Henry McMahon, échangent des lettres, entre juillet 1915 et juin 1916. Londres encourage les Arabes à se révolter contre l'Empire ottoman, allié de l'Allemagne. En échange, le Royaume-Uni reconnaîtrait leur indépendance.

À peu près au même moment, on l'a vu, n'est-ce pas, on les a imaginés à l'œuvre, Sykes et Georges-Picot démembrent, sur le papier, le Royaume arabe promis par Lawrence… avant même qu'il ne voie le jour !

À peu près au même moment (à l'échelle de l'Histoire, qu'est-ce qu'une année ?), Arthur Balfour dicte gravement une lettre. Ou peut-être l'écrit-il lui-même, de sa *blanche* main, et la fait-il ensuite taper à la machine par une secrétaire ? Peu importe.

Qui est Balfour ? La notice biographique est courte : Arthur James Balfour (25 juillet 1848-19 mars 1930), 1er comte de Balfour, Premier ministre du Royaume-Uni, chef du parti conservateur, ministre des Affaires étrangères pendant la Première Guerre mondiale.

La notice est courte, l'ombre portée est longue, très longue. Elle nous recouvre encore, tous.

— Pas moi, quand même ?

Si, même vous.

Le 2 novembre 1917, Arthur Balfour, le Foreign Secretary britannique, adresse à lord Rothschild la fameuse lettre qui dérangera le cours du XXe siècle. En voici le texte :

« Cher lord Rothschild,

« J'ai le plaisir de vous adresser, au nom du gouvernement de Sa Majesté, la déclaration ci-dessous de sympathie à l'adresse des aspirations juives et sionistes, déclaration soumise au Parlement et par lui approuvée.

Le gouvernement de Sa Majesté envisage favorablement l'établissement en Palestine d'un foyer national pour le peuple juif, et emploiera *tous ses efforts* pour faciliter la réalisation de cet objectif, étant clairement entendu que rien ne sera fait qui puisse porter atteinte [...] aux droits civils et religieux des collectivités non juives existant en Palestine [...]. »

— Y avait pas ça dans le film...

La déclaration Balfour est en contradiction avec les engagements pris par Lawrence auprès de Faysal et des nationalistes arabes qui revendiquaient un grand État indépendant incluant la Palestine. Elle est en contradiction avec les accords Hussein-McMahon qui la précèdent.

— Les Anglais ne sont pas à ça près... *La perfide Albion*, n'est-ce pas...

La lettre contient bien quelques phrases qui semblent témoigner d'un certain souci d'impartialité (« étant entendu que rien ne sera fait qui puisse porter atteinte aux droits des collectivités non juives de Palestine ») mais dans le récit arabe, ces précautions de langage ne prouvent qu'une chose : Balfour et le gouvernement britannique savaient pertinemment que la Palestine n'était pas inhabitée et qu'ils commettaient donc un crime...

— Pourquoi ressortir ces vieilleries ? Pourquoi remuer toute cette... Qu'est-ce que cela a à voir avec

Ali et Malika, ce roman que vous nous promettez, c'est écrit sur la couverture, et qui s'interrompt comme ça, de temps en temps, au gré de vos humeurs ? Où voulez-vous en venir ? *Abattez vos cartes, monsieur !*

Mes cartes ? Belle ambiguïté... Vous parlez sans doute de cartes de jeu et tout s'est *joué* autour de cartes géographiques... Soit, abattons nos cartes ! De jeu, de géographes, de stratèges, d'hommes politiques...

Voici : il y a deux récits du monde. Il y a une infinité de récits du monde. Autant que d'êtres humains qui arpentent la planète. Mais il y en a deux qui, ici, nous intéressent.

Amusez-vous (si on peut appeler cela *s'amuser*...) à compter le nombre de fois où l'on entend le nom « Balfour » dans des documentaires ou des débats diffusés, d'un côté, sur Al-Jazira ou d'autres chaînes satellitaires arabes, et de l'autre, sur les chaînes européennes (françaises, néerlandaises, allemandes, britanniques, peu importe). Le résultat sera intéressant : des dizaines d'occurrences pour le premier bouquet de chaînes et... zéro pour le second.

Aucun Arabe un tant soit peu éduqué n'ignore le nom de Balfour (certains crachent en le prononçant...). Et en Europe ? Aux États-Unis ? Qui le connaît ? Vous le connaissiez, vous ?

— Vaguement... Pas vraiment...

Dans le récit arabe, « une nation a solennellement promis à une autre le territoire d'une troisième[1] ».

Dans le récit européen, la lettre de Balfour allait permettre un miracle moderne, la résurrection d'Israël après les horreurs de la Seconde Guerre mondiale,

1. Arthur Koestler.

après la *destruction des Juifs d'Europe*[1] –... par des Européens.

— « Un désastre », « un miracle » ? Précisez, monsieur ! Qui a tort, qui a raison ?

Personne. Tout le monde. *Rien n'est simple ni singulier.* Un récit est-il faux, vrai ? Nous sommes en deçà de la vérité, ou au-delà.

— Mais enfin, quel est le « bon » récit ?

La question n'a pas de sens.

— Qui a tort ?

À vous de me le dire.

— Qui a raison ?

Les deux protagonistes.

— Vous plaisantez ?

Non. C'est bien là le drame.

Les Arabes n'ont pas oublié la promesse de Lawrence. La promesse qui, dans un récit, n'a (peut-être) jamais été faite et qui, dans l'autre, n'a pas été tenue – où l'on voit combien il sera difficile de concilier les deux récits sans faire violence à la logique du tiers exclu.

Les Arabes n'ont pas oublié la lettre de Balfour. (Ils ne connaissent pas le « White paper » de Chuchill de 1922, qui « atténuait » la promesse de Balfour. Un récit du monde n'est jamais exhaustif.)

Ils n'ont pas oublié la trahison.

Tout cela annonce Nasser, la nationalisation du canal de Suez, la guerre de 1956, l'ayatollah en 1979, Bush et Saddam les amants maudits, puis la conflagration

---

1. Raul Hilberg, *La Destruction des Juifs d'Europe*, 1961 (Fayard, 1988).

générale, le pseudo-calife, l'horreur, les nouvelles migrations des peuples, ces centaines de milliers d'hommes et de femmes qui déferlent sur les rives de l'Europe…

On en reviendra toujours à ce qui s'est passé au début du XXe siècle, à ces promesses consignées dans les archives ou chuchotées sous une tente, à ces lignes tracées sur la carte, à ces accords qui n'en sont pas, à ces lettres qui disent ce qu'on veut et n'engagent que ceux qui les lisent, à ce trou noir massif autour duquel gravite le récit arabe – mais trou noir invisible *par définition* dans le récit européen.

Savent-ils, Ali et Malika, et Claire et Brahim, que ce sont eux qui devront payer, au début d'un autre siècle, le prix de ces trahisons, de ces mensonges, de ces malentendus ?

7

Le coffre-fort et sa clé d'or

Ali et Brahim se tenaient debout à une halte d'autobus, sur le boulevard Saint-Michel, devant les thermes de Cluny. Ali, un porte-document sous le bras, sautillait d'impatience, guettant le 38 qui n'arrivait pas. Brahim hésita, puis se lança.

— *Aji*[1]... C'est vrai ? Tu vas te marier ? Avec... comment elle s'appelle ? Malika ?

Ali, contrarié, se tourna vers son cousin.

— Qui parle de mariage ? On va vivre ensemble. On verra bien.

L'autre glapit :

— Mais... c'est *haram* !

— Oh, ça va Brahim... Arrête de m'embêter avec tes histoires de *haram* et de *halal*. On est au XXIe siècle, on n'est plus à Fqih Ben Salah au temps des caravanes... Aujourd'hui, les hommes, les femmes, on sort d'abord ensemble, on apprend à se connaître, on vit ensemble, puis après on voit... Bon, il arrive, ce bus ?

1. « Dis-moi. »

Brahim ne lâchait pas prise.

— Mais comment tu peux respecter une femme si elle vit avec toi sans être ta femme ? C'est la honte ! *h'chouma !*

Ali, après quelques instants de silence, leva lentement la main droite et montra au loin quelque chose du doigt.

— Dis-moi, Brahim, c'est quoi, ça ?

Brahim plissa les yeux et regarda dans la direction qu'indiquait l'index de son cousin.

— C'est le bus. Le 38, mais il va dans le mauvais sens.

— C'est un bus, on est d'accord. *Ce n'est pas un chameau, non ?* On est à Paris, pas à Médine au temps des dromadaires ? Ou à Fqih Ben Salah au temps de feu le *haj* Hassan, notre grand-père commun ?

Brahim se retourna vivement.

— Et alors ? La religion, c'est pour toujours, c'est pour… pour *partout*. Dans les deux mondes : *al-'âlamayn.*

— C'est quoi, les deux mondes ?

— Eh bien, c'est ici et après. La vie qu'on mène ici-bas et puis *l'au-delà*, comme disent les Français.

— Comme disent aussi les Sénégalais et les Québécois.

Il tourna la tête dans tous les sens.

— Merde, il arrive, ce bus ? C'est toujours le même problème, avec le 38, pesta Ali. On dirait qu'il se fait attaquer en chemin, à Port-Royal, chaque jour…

— Tu détournes la conversation.

— J'y reviens : *al-'alâmayn*, ce n'est pas du tout ce que tu dis. Ce n'est pas « la vie ici » et « la vie après la mort ». *Al-'alâmayn*, ça signifie : le monde des hommes…

Il fit un grand geste des deux bras comme s'il voulait étreindre tout l'univers, ou au moins Paris.

— … et le monde des *djinns*, un truc mystérieux, un univers parallèle que personne n'a jamais vu mais auquel il faut quand même croire. En plus, les djinns peuvent passer de l'un à l'autre : au Maroc, beaucoup de gens croient sérieusement que tu peux être marié toute ta vie avec bobonne qui est en fait un *djinn* ayant pris la forme d'une femme…

Il sourit, un peu faraud, puis conclut :

— Donc, *al-'alâmayn,* c'est ça.

Désarçonné, Brahim murmura :

— Tu es sûr ?

— Certain. Ça me fascinera toujours, les gens comme toi…

Il enfonça l'index dans la poitrine de son cousin.

— … qui parlent tout le temps d'islam sans y connaître grand-chose.

Brahim, piqué au vif, revint à la charge.

— J'en sais assez pour te dire que ce que tu fais n'est pas normal. Tu n'as pas répondu à ma question : comment peux-tu respecter une femme si elle vit avec toi sans être ton épouse ? La nuit, elle… elle… *couche* avec toi, un homme qui n'est pas son mari, et le lendemain, tu prends le petit déjeuner avec elle ?… comme si de rien n'était ?

Ali se mit à rire.

— Mais attends, la situation est complètement symétrique !

— *Ch'nou*[1] *?* Je ne comprends pas.

— Je ne suis pas marié, moi non plus. Selon ton raisonnement, elle ne devrait pas me respecter puisque je vis avec elle sans être marié. Tu me suis ?

---

1. « Quoi ? »

Brahim prit un air scandalisé.

— Ah non, ah non ! Ce n'est pas la même chose !

Ali, sûr de son avantage, se contenta de laisser tomber du coin des lèvres, froidement :

— Pourquoi ?

Il connaissait le pouvoir de ce simple adverbe, prononcé ainsi, apparemment sans passion : pouvoir de dissolution de tous les dogmes, de tous les fanatismes…

Brahim semblait trépigner d'indignation.

— Attends… Ma grand-mère avait un proverbe…

Il cherchait à s'en souvenir, les yeux au ciel. Il sautillait, de façon imperceptible, comme en proie à un besoin pressant. Ali, moqueur, l'examinait comme si c'était un ouistiti qui se trémoussait là, sur le trottoir parisien.

— Ah, ta grand-mère avait un proverbe…

— Attends, attends… C'était un truc du genre : « L'homme a une clé d'or… »

Ali éclata de rire.

— On est riches !

— Une clé d'or… Attends, je ne m'en souviens plus. Il y avait aussi un coffre qui ne s'ouvre qu'une fois…

Ali secoua la tête.

— C'est *Les Mille et Une Nuits*, quoi. Merde, il arrive quand, ce bus !? C'est pas possible, il doit y avoir un problème, il y a eu un accident quelque part. Ou une grève sauvage. Quand c'est pas la SNCF, c'est la RATP…

Brahim, le sourcil froncé, cherchait toujours à se rappeler le proverbe ancestral.

— Un coffre, un coffre… C'est la femme…

Ali se tourna de nouveau vers lui, hilare.

— Elles ressemblent à des coffres, les femmes de ton bled ? à Fqih Ben Salah ? C'est pour ça que tu es venu vivre à Paris ?

Brahim sortit de ses trépignements et agita son index levé en signe de dénégation.

— Non, non, c'est une… comment on dit ? Une *métaphore*. La clé d'or, le coffre…

Ali leva la main comme s'il voulait opposer un barrage à ce déferlement d'à-peu-près et de niaiseries.

— Ça va, j'ai compris, je ne suis pas complètement idiot. En gros, la clé d'or, celle que tu as entre les jambes, peut ouvrir cent coffres sans s'altérer, sans que ça se voit, mais le coffre, une fois forcé, défoncé, c'est fini, on ne peut plus le réparer. Subtile, la métaphore. Très délicate. Bravo !

Cela fut dit sur un ton sarcastique et accompagné d'applaudissements. Quelques personnes, qui attendaient l'autobus, se retournèrent. Il esquissa un petit sourire gêné. Quand on cessa de le regarder, il revint à la charge, à voix basse.

— Dis-moi, Brahim, il n'y a pas de serrurier, à Fqih Ben Salah ? Tu sais qu'il y en a, des serruriers, à Casablanca ? Ça s'appelle des *chirurgiens*. T'as qu'à dire à tous les coffres de ton village de prendre le car et d'aller se faire réparer à Casa…

Il éclata de rire. Brahim haussa les épaules, vexé.

— Tu peux te moquer tant que tu veux, mais ma grand-mère avait raison. Les hommes, les femmes, c'est pas la même chose. Sinon y-z-auraient pas été créés différents. *H'ram as-sahbi*[1]… Tu ne peux pas

1. « C'est péché, mon ami. »

vivre avec une femme sans être marié, tu ne peux pas *vraiment* la respecter… Tu es quand même marocain…

Ali se pencha sur son cousin et lui mit la main sur l'épaule.

— Brahim, le Maroc, c'est par là…

Il fit un ample geste.

— … à trois mille kilomètres. Tu prends le 38 *dans le mauvais sens* et tu roules pendant trois mille kilomètres sans t'arrêter, jusqu'à Fqih Ben Salah. Et là tu tombes sur ta grand-mère assise sur un joli petit coffre. Et tu épouses ledit coffre, avec ta petite clé d'or, ton demi-diplôme de *tarbiyya islamiyya*[1] et ton job de veilleur de nuit. Et moi, tu me laisses tranquille avec Malika. D'accord ?

Le bus 38 arrivait enfin. Il y en avait même deux, qui se suivaient comme deux gros chiens un peu pataudds. Ali et Brahim montèrent dans le premier.

---

1. « Éducation islamique. »

8

De souche et de braise

L'appartement de Malika se trouvait rue des Couronnes, dans le XXe arrondissement, dans une résidence « entièrement clôturée, parfaitement entretenue et surveillée par un régisseur et deux concierges » – on le leur avait assez répété sur le ton de « vous avez de la chance… » –, à deux pas du jardin de Belleville. Ali et Malika y vivaient maintenant depuis quelques mois.

Ce jour-là, Claire était passée voir Malika. Pendant que celle-ci faisait le thé, Claire regardait avec attention, au mur, la reproduction d'une affiche orientaliste des années 1930.

— C'est quoi, cette mosquée ?

Malika se retourna vivement.

— Quelle mosquée ?

— Là, sur l'affiche.

— Ah, tu m'as fait peur, je croyais qu'ils avaient construit une mosquée dans le jardin, pendant la nuit… *Encore un coup des Saoudiens !*

— Idiote ! Il est d'ailleurs magnifique, ce jardin… Ça s'appelle comment, ici ?

— La résidence du Pressoir, je te l'ai déjà dit. Effectivement, c'est sympa… avec le grand jardin en bas. Et j'ai du soleil toute la journée… enfin, quand il y a du soleil.

— Tu as une mosquée sur tes murs mais tu sursautes à l'idée qu'il y en ait une dans le jardin ?

— Ce n'est pas la même chose. L'affiche, c'est plus pour… euh… pour la nostalgie. Ça ne veut rien dire. C'est juste un monument. C'est… culturel. Comme vos cathédrales. C'est Ali qui l'a accrochée là.

— Ali… Ça fait des mois que vous êtes ensemble ! Franchement, j'aurais pas cru. Je pensais qu'au bout d'un mois vous alliez vous entre-tuer.

— Pourquoi ?

— Ben… Ali, c'est un Marocain « de là-bas », non ? C'est pas comme toi, ma petite beurette…

Malika posa sa tasse de thé sur la table d'un geste brusque.

— Arrête, tu sais que je déteste ce mot !

Claire prit une petite voix innocente.

— Eh bien, je ne t'appellerai rien du tout. Tu seras la-femme-sans-nom.

— J'ai le choix entre beurette et rien du tout ?

— *Relax*, je te fais marcher… Mais bon, vous êtes encore ensemble, toi et Ali, ça marche bien, je suis contente pour toi.

Elle se pencha sur elle et l'embrassa.

— C'est avec moi que tu aurais dû te mettre. Je t'aurais fait de bonnes cochonnailles. Du Cochonou. Ce qui serait normal, d'ailleurs, « le Pressoir », ça évoque le vin, pas le thé à la menthe.

Malika se dégagea doucement.

— Tu sais, j'y ai souvent réfléchi. Je crois que, finalement, ça n'aurait pas mieux marché si je m'étais mise avec un Français « de souche », comme on dit. « De souche »... Drôle d'expression... Comme si on était des arbres. Vous êtes bizarres, vous les Français...

— Arrête, tu es aussi française que moi ! C'est pas la peine de te la jouer « étrangère énigmatique ». L'œil de braise, exotique...

— Bon alors, on est bizarres, nous les Français. On parle de « souche » comme si c'était l'idéal, d'être enraciné dans le sol, bien profond, immobile... Et en même temps, on dit « l'homme aux semelles de vent » pour Rimbaud. Avec admiration... Les semelles de vent, c'est quand même le contraire de la souche, non ? Et tout le monde a rêvé un jour d'être Rimbaud, même le type qui vote Front national depuis ses premières couches-culottes... Enfin, tu vois la contradiction ?

Claire se mit à virevolter dans l'appartement.

— Non, ce n'est pas une contradiction. On est des arbres qui rêvent de voler. Comme dans la pièce de Shakespeare. Celle où la forêt s'envole.

— La forêt se met à *marcher*, pas à voler... Où en étais-je ? Ah oui : tu te souviens de François-Xavier, le type avec qui je sortais avant Ali ?

Elle mit l'index sur ses lèvres :

— N'oublie pas : on n'en parle pas devant Ali. Il est jaloux, même des fantômes du passé.

— Oui, je sais. Et alors, François-Xavier ? C'était pas un noble, du genre *de la Grille Du Fond du Jardin* ?

— Du Perthuis de Saumur.

— Ma chèèère... Bon, François-Xavier ?

— Eh bien, française ou pas, j'étais encore plus loin de lui que d'Ali. Je me souviens d'une scène...

9

Malika et la duchesse

Imaginons ici un fond musical (Lully, Couperin…) et de la lumière, un spot qui éclairerait la scène. François-Xavier est une simple silhouette en carton. Malika s'adresse à lui.

— Écoute, François. Ta mère la comtesse, elle commence à me courir… Les regards en biais, le binocle… Oui, je sais, elle n'en a pas, mais c'est l'impression que j'ai, quand elle me regarde, j'ai l'impression qu'elle m'examine avec un binocle…

Elle fait le geste, elle l'a vu faire cent fois dans ces films des années 1930 ou 1940 où le snobisme se signale par cet accessoire.

— … comme si j'étais un objet curieux, un animal exotique… Mâme la comtesse, la bouche en cul-de-poule. « Mon enfant, ceci est une *bouchée à la reine*, en avez-vous déjà dégusté ? » Oh, tu peux hausser les épaules, François, ce n'est pas toi qui supportes les sourires condescendants, les silences gênés quand je dis un mot de travers… Enfin, c'est vous, c'est ton milieu qui décide qu'un mot n'est pas convenable même s'il est français depuis Rabelais… Tiens, tu te souviens du jour où j'ai dit que Le Pen était un *bouffon* ? Ta mère a fait semblant de croire que ça venait de la banlieue parisienne, « bouffon », du 9-3 carrément (« Comment dites-vous, mon enfant ? »), alors qu'on le trouve dans Alexandre Dumas, dans Gide… Mais bon, je n'ai pas la manière, je ne suis pas une « Du Perthuis de Saumur », avec un grand-père qui a fait l'Indochine, comme le tien… Qu'est-ce que tu dis ? Oui, oui, dans l'état-major. Bravo !

Elle fait le salut militaire.

— … et ton père qui a fait l'Algérie, dans les paras. « Fait » l'Algérie… Carrément ! On « fait » tout un pays, désert compris, avec les regs et les ergs.

Derechef, salut militaire.

— Comment veux-tu qu'ils voient autre chose en moi qu'une espèce de *moukère*, tes parents ? Pourtant, je suis aussi française que toi… Pourquoi fais-tu ce… ce rictus ?

Elle explose.

— Parfaitement ! Aussi française que toi ! Ju-ri-di-que-ment. Et ta mère au binocle… Elle devrait cesser de m'appeler « Malacca », comme le détroit du même nom : je m'appelle Ma-*li*-ka. Ça veut dire : « reine ». Protocolairement : au-dessus de la duchesse. Au-dessus de la duchesse déchue… Aussi française que ton père retour du djebel ! C'est ça, la République ! Vous vous croyez plus français que des gens comme moi parce que vous avez planqué votre argent en Suisse…

Elle fait mine de repousser son bras.

— Arrête ! Laisse-moi parler ! Tu te crois en terrain conquis ? Je ne suis pas l'Algérie…

10

Deux récits algériens

La guerre d'Algérie ne fut pas qu'une affaire entre la France et ceux qui la combattaient l'arme à la main. Dans tout le monde arabe, au Caire, à Bagdad ou à Naplouse, tous ceux qui ruminaient encore la Grande Trahison, qui évoquaient la promesse de *Lawrence al-'arab* et crachaient en prononçant le nom de Balfour, tous la suivaient attentivement, avec espoir, avec passion, sur les ondes de Radio Le Caire.

Pour les Égyptiens, leur propre révolution, celle de juillet 1952, qui avait aboli une monarchie pour lui substituer une république (tiens, tiens…), fut l'événement fondateur de la libération du monde arabe. L'Histoire se mettait – enfin ! – en mouvement *dans le bon sens*, après les trahisons et les humiliations des siècles passés.

On ne comprend rien au monde arabe si on n'étudie pas cette révolution du 23 juillet et les discours de celui qui en devient le chef deux ans plus tard, Nasser. Pour lui, il le répéta à plusieurs reprises, l'Égypte ne se sentirait pas vraiment libre tant qu'un pouce du monde arabe serait encore occupé par des forces étrangères.

Et où cette occupation était-elle la plus enracinée ?

Au Maghreb.

Nasser : « La libération du Maghreb, la partie la plus étroitement dominée, la plus profondément colonisée de notre nation, est prioritaire. »

Quand le colon français demandait *avec rage, avec désespoir :* « Qui a planté les arbres, dans ce pays, qui y a défriché la terre ? », Radio Le Caire rétorquait : « Qui t'a rendu maître de cette terre ? »

Deux récits du monde…

11

Être un rhinocéros

Claire sifflota, épatée.

— Dis donc, tu étais en colère… Il a pris ça comment, le François-Xavier ?

— Il s'est gratté le ventre et a lâché quelque chose comme : « Tu exagères, ma chérie, maman a beaucoup d'estime pour toi et papa, c'est bien simple, il t'adore ! »

Elle sourit.

— *On adore bien les juments*, dans ce genre de famille…

Claire, amusée, enlaça son amie et l'embrassa.

— Petite pouliche.

Malika se dégagea avec agacement.

— Arrête ! Tout ça pour te dire que ça n'aurait pas forcément mieux marché si je m'étais mise avec un Français « de souche ».

Claire haussa les épaules.

— Ouais. Cela dit, tu n'avais pas besoin d'aller te dégoter un noble Du Fond du Jardin pour te heurter à la bêtise ou à l'ignorance. Tu te rappelles à l'école, au collège, les petits Julien, Kevin, Matteo, fils de prolos, parfois même fils d'immigrés, qui étaient pourtant nos copains, ils t'en sortaient de belles, parfois…

Malika fit mine de se boucher les oreilles.

— Arrête ! Je ne veux pas m'en souvenir.

Claire poursuivait, impitoyable.

— … le genre de petites phrases innocentes qui en disent long : « Dis, Malika, t'as pas un cousin qui pourrait me trouver une bécane volée à prix d'ami ? »

Puis elle en mima un autre, la voix haut perchée :

— « Malika, ta mère, elle cherche pas des ménages à faire ? C'est m'man qui m'l'a d'mandé… » Et tu te souviens de Floriane ? « Malika, c'est à quel âge que ton père va t'obliger à porter le voile ? » Même moi, ça m'avait choquée.

— Oui, mais bon, je ne prends pas ça pour du racisme. C'était juste de l'ignorance, de la maladresse… Parfois, c'était même de la curiosité, un vrai intérêt pour une autre culture… Il ne faut pas tout confondre.

— Tu es trop bonne pour ce monde cruel. Mais je le répète : ça n'aurait pas forcément mieux marché si tu t'étais mise avec Kevin ou Matteo. Ou même avec Floriane…

Elles éclatèrent de rire.

— Au moins, avec un François-Xavier tu aurais fini comtesse. Avec un binocle pour étudier les gueux. Les gueux et les guenons.

— C'est toi, la guenon.

— Je t'appelle « petite pouliche » et tu me traites de guenon ?

Malika soupira.

— J'aimerais autant être un rhinocéros.

— Quoi ?
— Ben oui… Ils ont la peau dure, ces pachydermes.
— Et pourquoi tu veux être un rhino ? y en a qui rêvent d'être top model et toi…
— Je te l'ai dit : ils ont la peau épaisse. Il en faut quand on entend des expressions du genre : « Qu'est-ce que c'est que ce travail d'Arabe ? » On le dit parfois en ma présence, en rigolant, entre copains ou collègues, genre : « On n'est pas racistes, tu vois bien, on utilise cette expression alors que tu es là. »
— Drôle de logique…
— J'ai envie de leur dire : vous avez vu l'Alhambra, à Grenade, la grande mosquée de Cordoue, les palais de Marrakech ? Ça, c'est du travail d'Arabe… Et le pire, ce sont ceux qui n'osent même pas prononcer le mot « arabe », comme s'il était contaminé, souillé… Même les Arabes eux-mêmes commencent à, euh… « intérioriser » tout ça. Ils se découvrent kabyles, kurdes, druzes, tout ce qu'on veut sauf arabes. Et dire qu'il fut un temps où c'était un motif de fierté, de se dire « arabe »…
Claire avait écouté avec attention.
— Vraiment ? C'était quand ?
— Du temps de Nasser.
— Qui ?

12

Un héros de notre temps

Nasser.

Gamal Abdel Nasser Hussein…

Il faut ressortir les vieilles photos jaunies, les films qui tressautent, la bande-son qui craque, crisse et parfois disparaît. Il faut regarder cette tête-là, *elle en vaut la peine*.

La rhétorique arabe le compare à un fleuve impétueux, un Ramsès des temps modernes, un océan…

La notice bibliographique européenne est plus sobre : né le 15 janvier 1918 à Alexandrie, mort le 28 septembre 1970 au Caire. « Homme d'État égyptien. » Il organisa en 1952 le renversement de la monarchie égyptienne, puis fut le second président de la République d'Égypte de 1956 à sa mort. Il mena une politique socialiste et panarabe. Il fut l'un des dirigeants les plus influents du XXe siècle.

On peut élaborer un peu, *pour comprendre*.

Nasser fut très tôt impliqué dans la lutte contre l'influence britannique en Égypte. (En voilà un qui connaissait les noms de Sykes, Lawrence, Mac-Mahon,

Balfour…) Profondément nationaliste, opposé à la mainmise occidentale sur son pays, il fonda le mouvement dit « des officiers libres », qui renversa le roi Farouk.

C'était l'époque de la guerre froide. Il fallait choisir sa chapelle : Washington ou Moscou, le monde dit « libre » ou le « camp » communiste – les mots ne sont pas innocents.

Nasser rejette l'alternative, l'inféodation. à la conférence de Bandung, en 1955, il se dresse, grand et droit, charismatique, souriant, aux côtés de Nehru, de Soekarno, de Zhou Enlai. Les représentants de vingt-neuf pays africains et asiatiques proclament leur « non-alignement » : ils ne s'aligneront ni sur Washington ni sur Moscou. Pour la plupart fraîchement décolonisés, ils forment un troisième bloc dans le monde fracturé d'alors. Le tiers-monde entre en scène.

Nasser revient en héros au Caire.

En représailles, les puissances occidentales refusent de financer la construction du barrage d'Assouan, ce « haut-barrage » qui doit apporter l'électricité partout en Égypte, donc le développement, l'industrie, le socialisme… Nasser réplique en nationalisant le canal de Suez le 26 juillet 1956. Stupeur à Londres et à Paris. Il a osé !

C'est un *casus belli*. Les deux capitales déclenchent une campagne médiatique contre l'impudent *fellah*[1] qui a monté le casse du siècle.

Nasser organise une conférence de presse pour expliquer sa décision. Il fait un exposé bien charpenté, il

---

1. « Paysan » (en réalité, la famille de Nasser appartenait à la petite-bourgeoisie cultivée).

avance des arguments, il raisonne… L'envoyé spécial d'un grand hebdomadaire européen n'en retient qu'une chose : « Nasser a des mains d'étrangleur » *(sic)*.

C'est la guerre ! Le Royaume-Uni, la France et Israël déclenchent une offensive coordonnée pour reprendre le contrôle du canal. Les paras sautent sur les pharaons… Mais les États-Unis et l'Union soviétique sifflent la fin de la récréation : les deux rivaux, cette fois unis (il s'agit de montrer *qui* sont maintenant les grandes puissances), obligent Anglais, Français et Israéliens à se retirer.

Pour le monde arabe, Nasser a gagné contre les puissances coloniales. Sa popularité est au firmament. Ses discours en faveur d'une union panarabe sont écoutés avec ferveur, de Rabat à Aden, d'Alger à Bagdad. Il proclame la fusion avec la Syrie en 1958. Dans la foulée, il annonce des mesures « socialistes » qui doivent mener au développement, à la modernité, à la prospérité.

C'est l'apogée.

Plus dure sera la chute.

Le matin du 5 juin 1967, l'armée de l'air israélienne lance une attaque surprise et détruit presque toute l'aviation égyptienne. Les blindés israéliens foncent dans le désert. Israël s'empare du Sinaï, de la bande de Gaza, de la Cisjordanie et du Golan. Le 9 juin, Nasser apparaît à la télévision, les traits tirés, le regard éteint, pour annoncer aux Égyptiens la défaite de leur pays.

Cette guerre sera vite baptisée « guerre des Six-Jours ». La formulation la plus courante, lue mille fois dans les livres d'histoire, est : « En 1967, Israël *écrase* les armées arabes… »

(Pourquoi ce verbe violent, méprisant ? Ali s'était toujours posé la question. Cette phrase absurde surgissait alors dans sa tête : « On achève les chevaux, on écrase les cafards… » Il avait cherché l'étymologie du mot. « Cafard » est attesté dans la langue française dès 1512. Il vient de l'arabe *kâfir* qui signifie « incroyant », « infidèle », puis « homme converti à une autre religion ». « Cafard » dans le sens de « blatte » fait sans doute allusion à la couleur noire de l'habit des dévots. Ali, incrédule : « Ils nous insultent avec *nos* mots ! »)

Après la défaite, Nasser démissionne, avant de changer d'avis à la suite de manifestations populaires en sa faveur. En 1970, il succombe à une crise cardiaque (dans les derniers mois de sa vie, amer, déprimé, il fumait quatre paquets de cigarettes par jour). Cinq millions de personnes assistent à ses funérailles au Caire.

Le monde arabe est en deuil. En deuil de lui-même.

Il le restera jusqu'en 1979.

Soudain, l'ayatollah…

13

Utopie

Malika était penchée à la fenêtre. Jamais la résidence du Pressoir n'avait autant ressemblé à une oasis, à l'orée du XXe arrondissement. Dans l'immense jardin qui en constituait le cœur, des enfants jouaient, certains se faufilaient entre les arbres, se poursuivant en piaillant, d'autres faisaient de la bicyclette dans les allées, d'autres encore, un peu plus grands, jouaient au ballon, sous le regard vigilant d'adultes qui bavardaient ça et là, par petits groupes, dans des idiomes divers, en une cacophonie paisible. Toutes les ethnies du monde semblaient s'être donné rendez-vous là, au cœur de cet ensemble d'immeubles érigés il y a un demi-siècle, à l'époque des « utopies urbanistiques » – l'expression lui revint en mémoire.

Elle sourit à l'idée qu'elle habitait dans une utopie…

Deux vieux bonshommes, assis sur un banc, penchés sur un échiquier posé entre eux, avaient entamé une partie qui les absorbait entièrement. Dans la douce torpeur de cette soirée du mois d'août, la jeune femme se laissait enivrer par les odeurs fades ou piquantes, entremêlées, délicieuses, qui montaient du jardin par bouffées, comme autant d'offrandes que le monde lui faisait.

Elle pensa qu'elle n'avait jamais été aussi heureuse.

On sonna à la porte. Malika alla ouvrir. C'était Ali, qui rentrait du travail. Elle se jeta à son cou, encore enivrée par cet instant de grâce vécu à la fenêtre. Il ne réagit pas. Elle se dégagea, étonnée, et le regarda. Il avait l'air sombre, le regard éteint. Il entra, se dirigea vers le petit salon et se laissa tomber sur le canapé. Malika resta un instant immobile dans l'entrée, puis elle le suivit et lui demanda :

— Qu'est-ce qu'il y a ? Qu'est-ce qui se passe ?

Il ne répondit pas. Elle alla s'asseoir à côté de lui, prit son visage entre ses mains et le força à la regarder.

— Mais réponds-moi, qu'est-ce qu'il y a ?

Il était comme pétrifié. Une sorte de rictus, qu'elle ne lui avait jamais vu, déformait sa lèvre inférieure. C'était comme s'il portait un masque.

— Ali, tu me fais peur ! Qu'est-ce qu'il y a, qu'est-ce qui s'est passé ?

Ali secoua la tête, de façon imperceptible. Il murmura :

— Les salauds…

Malika cria presque :

— Qui ? Mais de quoi tu parles ?

Il marmonna quelque chose, puis répéta plus distinctement :

— J'ai besoin de boire un verre.

Après une courte hésitation, Malika se leva, alla prendre une bouteille de whisky et un verre dans la cuisine et revint dans le salon. Elle lui tendit le verre, qu'il but d'un trait.

Il s'essuya la bouche.

— Les salauds… Malika était livide.

— Bon, arrête ! Tu… tu me fais vraiment peur. Qu'est-ce qui s'est passé ?

Ali murmura :

— Le contrat…

Malika, soulagée (il n'y avait pas mort d'homme), mit quelques secondes avant de comprendre de quoi il s'agissait.

— Quel contrat ? Ah oui… Le truc avec Dassault ? Les missiles ? Vous ne l'avez pas eu ? C'est ça ? Bon, c'est embêtant mais ce n'est pas la fin du monde. Ce sont les affaires, la… euh, la concurrence…

Elle s'assit à côté de lui, mit son bras autour des épaules d'Ali et lui caressa les cheveux.

— L'important, c'est que tu aies fait de ton mieux. Il y aura d'autres contrats…

Ali se dégagea brusquement de son étreinte.

— Tu ne comprends pas ! En fait, *on a eu le contrat*. On l'a su ce matin. Le patron le savait depuis plusieurs jours mais il ne l'a annoncé qu'aujourd'hui. On était tous fous de joie. Dans l'après-midi, on a sablé le champagne dans la salle de réunion…

Malika, étonnée, fronça les sourcils.

— Mais alors… tout va bien ? Je ne comprends pas… Pourquoi tu fais cette tête de déterré ?

Ali se tut un instant puis il se mit à parler lentement, à voix basse.

— On avait chacun sa flûte de champagne à la main, on parlait, on chahutait… Puis le patron a commencé à parler de Toulouse… Certains d'entre nous devaient aller s'y installer pendant quelques semaines, ou quelques mois… J'ai dit : « Ouais, super ! j'ai fait un long stage à Toulouse, il y a quelques années, je vais y retrouver mes habitudes, les cafés, les petits restaus où on allait en bande… » Comme un con, je me suis mis à parler de la Garonne, de Saint-Sernin…

Malika se redressa, froissée.

— Quoi ? Tu vas à Toulouse et tu ne me demandes pas mon avis ?

Ali lui fit signe d'arrêter, d'un geste las.

— Attends, attends… Le patron m'a fait un petit signe, genre « suis-moi », et il est sorti de la salle de réunion. Je l'ai suivi dans son bureau pendant que les collègues continuaient à boire… Et là, dans son bureau, il a commencé à me parler d'un autre projet sur lequel il voulait me mettre. Un truc encore assez flou, pour relier les serveurs de Free ou de Bouygues entre eux, ou quelque chose comme ça… Pas du tout prestigieux, comme le contrat Dassault. Finalement je l'ai interrompu…

14

Tu ne vas pas à Toulouse

Ali n'y comprenait rien.

— Excusez-moi, mais je vais plancher sur ce projet *après* Toulouse, n'est-ce pas ?

Le directeur évitait le regard de son employé.

— Tu ne vas pas à Toulouse, Ali.

Il y eut quelques instants de silence. La dernière phrase prononcée par le directeur semblait flotter dans l'air, elle semblait s'y attarder, s'atténuer puis revenir, elle résonnait de nouveau, comme réanimée… et cependant, Ali n'arrivait pas à la comprendre – ou peut-être ne voulait-il pas la comprendre. Il ne put que répéter :

— Je ne vais pas à Toulouse ?

— Non.

C'était clair. Ali, stupéfait, se mit à bégayer.

— Mais… c'est *mon* pr-projet ! C'est moi qui ai di-dirigé l'équipe ! Personne ne co… ne connaît les logiciels aussi bien que moi…

Le directeur leva le bras.

— Bon, Ali, ne te surestime pas non plus. Je sais bien que c'est toi qui as fait le gros du travail, tu es le meilleur dans ce domaine, mais Jérôme, Daniel ou Séverine ont travaillé avec toi, ils sont parfaitement capables de prendre la suite et de faire tourner les programmes. C'est ça, une équipe.

Il s'arrêta un instant. Puis :

— Tu sais ce qu'on dit : « Les cimetières sont pleins de généraux irremplaçables. »

Il esquissa un sourire. Ali ne sut que répéter :

— C'est *mon* projet !

Le directeur éleva légèrement la voix. Ce n'était plus la gêne qui y perçait mais l'agacement.

— Non : c'est le projet de la boîte… de l'entreprise en tant que telle. Lis ton contrat : tout ce que tu produis ici appartient à l'entreprise. Tu l'as quand même lu avant de le signer, ton contrat ?

Ali, déconcerté, resta silencieux. Son contrat ? Il ne l'avait pas lu, tout heureux qu'il était d'avoir décroché ce job, lui, le petit ingénieur marocain… Au moment de signer, c'est à son père qu'il pensait, son père qui avait été, tout sa vie, ouvrier à l'Office chérifien des phosphates, à Khouribga, et qui avait eu pour supérieurs hiérarchiques des contremaîtres et des ingénieurs français, au début de sa carrière.

Le père racontait parfois des anecdotes… Oh ! il n'y avait rien de dramatique là-dedans, rien d'humiliant, la plupart des ingénieurs français étaient de braves gens, bien qu'un peu paternalistes, parfois, certains arpentant le *bled* comme un pays conquis, conduisant un peu trop vite leur Land Rover quand ils traversaient les villages, au risque d'écraser quelque moutard ou quelque poule – on peut le comprendre, ils avaient fait des études et venaient de la métropole, de braves gens donc, pour la plupart, mais enfin, il y avait cette distance que rien ne pouvait jamais combler, c'était *eux* et *nous*, même quand ils se tenaient côte à côte au bord de la même tranchée que venait de creuser une dragline, même quand ils partageaient le méchoui avec les ouvriers, une fois l'an, lors de la fête de la mine – ils appelaient ça la « Sainte-Barbe », la patronne des mineurs, une sainte que l'hagiographie, à défaut de connaître son prénom, nomme « la jeune Barbare », *Barbe* par apocope, comme la race de cheval berbère…

… Ils fêtaient donc une martyre chrétienne surnommée « la Barbare » au milieu d'Arabo-Berbères musulmans…

En étaient-ils seulement conscients ?

C'était eux les chefs, et nous, nous exécutions les ordres, disait le père. Et parfois, ils manquaient de sensibilité, un ingénieur n'est pas forcément un poète, ce tutoiement fréquent des ouvriers, par exemple, même quand ceux-ci avaient l'âge d'être le père de celui qui s'adressait sans façons à eux, et puis ce tic d'appeler toutes les femmes « Fatima » – « Dis donc, Mohamed, demande à la Fatima là-bas de dégager ses moutons, y a des bulldozers qui passent par-là, ils vont les réduire en compote ! », rien de grave, mais quand même…

… Et puis un jour son fils, le stylo en main, fermement tenu, signait un contrat d'embauche à Paris – l'acte juridique qui faisait de lui l'égal de ceux qui avaient donné des ordres à son père.

Il ne l'avait pas lu, ce contrat qui avait la forme d'une revanche chèrement obtenue, à force de travail, d'acharnement. Les détails n'avaient aucune importance…

Le directeur semblait attendre une réponse. Ali reprit, en essayant de se contenir. Il savait qu'il n'avait rien à gagner à monter sur ses grands chevaux.

— D'accord. Mais… ce n'est pas… logique, ce n'est pas… *rationnel.*

Il détestait ces moments où, emporté par l'émotion, il ne trouvait pas ses mots, où il employait des termes un peu trop pompeux, un peu trop littéraires, pas du tout adaptés à la situation, ces moments où des *erreurs de registre*, de toutes petites erreurs, trahissaient l'homme venu d'ailleurs, qui a fait des efforts prodigieux mais ne maîtrisera jamais ce sommet inaccessible réservé à ceux qui sont nés dans la langue française, qui l'ont *tétée avec le lait maternel.*

Il continua, s'efforçant de se maîtriser.

— Vous savez bien que… Enfin… Il vaut mieux que ce soit moi qui aille à Toulouse pour collaborer avec les ingénieurs de Dassault. Je connais toutes les finesses, tout ce qu'il y a d'innovant et de confidentiel dans nos…

Le directeur l'interrompit, conciliant.

— Mais Ali, personne ne dit le contraire ! Je sais bien qu'idéalement c'est toi qui devrais aller là-bas mener à bien le projet.

Ali voulut l'interrompre mais l'autre fit un geste impérieux.

— Attends !

Une pause.

— Bon, je vais te dire… Je ne devrais pas, mais bon… Je te demande seulement de garder ça pour toi. D'accord ?

Son regard avait maintenant quelque chose de solennel. Ali murmura :

— Promis.

Il promettait quoi, exactement ? L'autre continua :

— Écoute, tu sais bien que ce projet fait partie d'un projet bien plus grand... plus ambitieux... qui lie Dassault Electronics au ministère de la Défense. à l'armée, quoi... Bon. Pour tous les contrats qui sont passés avec l'armée, il y a une procédure très stricte... Je te répète que je dis des choses confidentielles, je compte sur ta discrétion.

Ali était pétrifié : il commençait à comprendre...

— Donc : il y a une procédure très stricte. Tous ceux qui seront amenés à travailler sur le projet doivent être... comment dit-on ? *Screened*...

Il esquissa un sourire.

— Même l'armée française se met à parler anglais, maintenant, c'est la fin des haricots... *Screened*...

Il se mordilla les lèvres, les yeux au plafond, comme s'il cherchait un mot.

— Ah ! *Triés* : voilà. Tous ceux qui travailleront sur le projet... sur l'exécution du projet doivent être triés, approuvés, par une commission *ad hoc*. Bon, je ne vais pas tourner autour du pot : la commission a barré ton nom. Barré, biffé, c'est étonnant, mais c'est exactement comme ça que ça s'est passé : j'ai reçu une liste de noms et le tien était soigneusement barré, un trait au stylo-feutre. Jamais vu ça...

Il leva les bras au ciel, théâtral.

— J'ai voulu protester, crois-moi, mais ils n'ont même pas daigné m'entendre. C'était une condition *sine qua non* pour la signature du contrat. Mets-toi à ma place : si je disais non, le contrat allait à une autre boîte.

Il y eut un moment de silence.

Ali, toujours pétrifié, se mit à parler, lentement, en détachant les mots.

— *Screened ?* Vous avez dit *screened* ? D'habitude, vous n'utilisez jamais de mots anglais.

Le directeur leva un sourcil.

— Et alors ?

Ali poursuivait son idée.

— *Screened*... Les Américains sont dans le coup ?

15

Qui n'est pas avec nous...

On ne peut pas en vouloir aux Américains.

Ils ont été attaqués, chez eux, sur leur territoire, il y a eu ce moment inouï, tout le monde a parlé de *sidération*, où les deux tours se sont effondrées, l'une après l'autre, dans un fracas d'apocalypse, donnant naissance à un gigantesque nuage de poussière, nous l'avons tous vu à la télévision, ce nuage gris qui avalait sur son passage l'air, les lignes droites et les contours et les couleurs de la ville...

Des milliers de morts, toutes classes sociales confondues, le pompier à côté du banquier, la secrétaire et son patron, toutes nationalités, toutes confessions confondues...

Stockhausen a parlé (a *osé* parler...) d'œuvre d'art.

« Ce à quoi nous avons assisté, et vous devez désormais changer totalement votre manière de voir, est la plus grande œuvre d'art réalisée : que des esprits atteignent en un seul acte ce que nous, musiciens ne pouvons concevoir ; que des gens s'exercent fanatiquement pendant dix ans, comme des fous, en vue d'un concert, puis meurent… »

On a parlé de « dérapage », de sénilité, de folie. *La fausse note de Stockhausen.* Celle qui résonne (dissone) *quand on sort du récit.*

On ne peut pas en vouloir aux Américains.

Alors, il y a eu le Patriot Act. Et une exigence raide, hautaine, vis-à-vis des États amis ou alliés.

Qui n'est pas avec nous est contre nous.

Georges Bush avait-il conscience qu'il citait le Christ[1] ? Probablement.

Voilà comment les choses désormais se feront, disaient les émissaires américains. Vous nous fournirez telle liste, tel renseignement, telle adresse.

Qui n'est pas avec nous est contre nous.

Vous ferez ce que nous vous dirons de faire.

Ali, minuscule vie prise dans ces rets…

1. Évangile selon Matthieu, XII, 30.

16

Si ce n'est toi…

Le directeur haussa les épaules.

— Bon, allez, ne te fais pas tout un cinéma, y a pas la CIA dans le coup, on n'est pas dans un *James Bond*… Tout s'est passé ici, à Paris. Écoute, je sais que c'est un coup dur, mais ça passera. Tu te mets sur le nouveau projet, dans quelques semaines, tu auras oublié. Je ne pouvais pas faire autrement. Mets-toi à ma place.

Ali eut la force d'esquisser un sourire amer.

— Je ne peux pas me mettre à votre place : la commission l'interdirait.

Le directeur, contrarié, tapota de l'index sur son bureau.

— Ne dramatisons pas. On n'est pas en Amérique sous… comment il s'appelait, l'autre ? Ah oui : McCarthy.

Ali reprit :

— Vous dites : « Ils ont barré ton nom. » Est-ce qu'ils en ont barré d'autres ?

— Euh… non.

— Je suis donc *unique*. C'est une consolation.

Après quelques secondes d'hésitation, le directeur renonça à répondre à ces deux phrases empreintes d'une ironie amère qu'il ne comprenait que trop bien. Il se leva, contourna la table et lui tendit la main, signifiant ainsi que l'entretien était terminé. Il tapota l'épaule d'Ali en hochant la tête, comme pour le convaincre qu'il fallait se faire une raison, que la vie continuait…

Ali traversa la salle où ses collègues festoyaient. Il ne voyait personne, ne répondit à aucune question. Il sortit comme dans un rêve, ou plutôt un cauchemar. Comment s'était-il retrouvé chez lui ? Sans doute avait-il descendu les marches de l'escalier qui menait au métro, sans doute avait-il franchi les portillons, attendu sur le quai… Il ne se souvenait de rien, sinon qu'il n'avait cessé de marmonner ces deux mots, « Les salauds ! », sans trop savoir à qui s'adressait l'injure.

Et maintenant, il était avec Malika, à qui il venait de raconter l'entrevue avec son patron.

— Je ne sais pas pourquoi je lui ai dit ça. « Je suis unique… » Je voulais frimer, pour ne pas montrer à quel point j'étais… J'étais plus que *vexé*.

Il se tapa violemment la poitrine.

— J'avais un bloc de glace ici ! Et l'envie de dégueuler le champagne. Sur lui, sur la moquette, sur eux tous… « Je suis unique. » Au fond, c'est vrai : je suis le seul Maghrébin de l'équipe. Je vois d'ici la commission. Ali Bou-der-ba-la ? Né à Khou-rib-ga ? Au Maroc ? Oh là… un Bouderbala dans un projet d'optimisation de guidage de missiles ? Pourquoi pas Ben Laden junior ? Hop ! On barre ! On efface ! Pas d'ça chez nous ! *Security risk ! No, sir…*

Malika l'interrompit :

— Mais attcnds, tu nc pcux pas êtrc sûr… Il y a peut-être une autre raison ?

— Quelle autre raison ? J'y ai réfléchi dans le métro… Je n'en vois pas. Je n'ai pas de casier judiciaire, je ne suis pas « en situation irrégulière »…

Malika écarquilla les yeux en ouvrant légèrement la bouche, comme si la solution de l'énigme venait de lui apparaître. Elle cria presque :

— C'est peut-être ton cousin Brahim ?

Ali la regarda sans comprendre.

— Brahim ? Qu'est-ce qu'il a à voir avec cette histoire ?

— Ben vous portez le même nom ? Et lui, c'est… c'est une sorte d'islamiste, non ? Il ne parle que de ça, la religion, Dieu, les anges… C'est une obsession… En plus, il va prier tous les vendredis à la mosquée de la rue Jean-Pierre-Timbaud. Ils doivent tous être fichés, ceux qui vont dans cette mosquée. Tu te souviens : il y avait des articles dans les journaux. Attends, c'était quoi déjà ? Il y a quelques années, des fanatiques avaient agressé une comédienne algérienne, comment elle s'appelle ?… ah oui : Rayhana. Ils lui avaient jeté de l'essence dessus, ils voulaient la brûler vive alors qu'elle marchait dans cette rue, Jean-Pierre-Timbaud. Tu te souviens ?

— Vaguement. Mais toutes ces horreurs… En quoi ça me regarde ? Je n'ai jamais mis les pieds dans une mosquée, de toute ma vie… En quoi tout cela me regarde ?

— Toi, rien. Mais ton cousin fréquente la mosquée intégriste qui se trouve dans cette rue. Ça doit être la mosquée la plus surveillée de France. On doit y croiser plus de flics *undercover* que de musulmans… C'est toi qui m'as dit que Brahim y allait tous les vendredis.

— Mais qu'est-ce que j'ai à voir avec Brahim ? Je le vois rarement… En plus, *lui, c'est lui et moi, c'est moi*. C'est bien un proverbe français, non ?

— Ce n'est pas un proverbe, c'est juste quelqu'un qui a dit ça un jour, je crois que c'était Fabius, et puis c'est resté.

Ali ricana amèrement.

— Ouais… Ça, ça ne vaut que *pour eux*. Moi, je n'ai pas une tronche très catholique.

Il leva les bras comme s'il faisait un discours.

— « Mesdames, messieurs : je vous présente le modèle républicain français ! La République ne reconnaît pas les groupes, les communautés… seulement les individus ! » Mais ça, ça ne marche pas pour Bouderbala. Eux, c'est eux, mais Bouderbala, c'est pas lui, c'est tout un groupe !

Malika essayait de le calmer.

— En même temps, on ne peut pas être sûrs…

Il continuait sur le même ton :

— Bouderbala, il a un cousin ! Alors, on mélange tout. Si ce n'est toi, c'est donc ton frère ! Ton « frère musulman »…

— Arrête ! Je te dis qu'on ne peut pas être sûrs. C'est peut-être parce que tu es né à l'étranger ? Si ça se trouve, moi, je n'aurais eu aucun problème.

Ali répliqua, sarcastique :

— Tu sais écrire des logiciels de guidage de missile, toi ?

Malika baissa la tête en soupirant. Sa voix semblait voilée, il l'entendit à peine :

— Ça va, c'est pas la peine de m'agresser. Je ne suis pas ton ennemie.

Ali se leva du sofa et prit Malika dans ses bras.

— Je suis désolé, je ne sais pas pourquoi j'ai dit ça, c'est idiot.

Puis il s'écarta et se mit à marcher nerveusement dans l'appartement.

— C'est injuste ! C'est injuste !

Soudain, il tapa du poing sur le montant de la porte, de toutes ses forces. Un cri de douleur retentit. Malika se précipita vers lui.

Il se dégagea de son étreinte, dévala l'escalier, sortit de l'immeuble et se mit à marcher sans but dans les rues de Paris.

17

L'ombilic du monde

Paris.

Il l'avait tant aimée, cette ville…

« Qui n'a pas pratiqué la rive gauche de la Seine, entre la rue Saint-Jacques et la rue des Saints-Pères, ne connaît rien à la vie humaine ! »

Cette phrase du *Père Goriot*, Ali s'en était souvenu avec émotion au moment où il était arrivé à Paris. Par une coïncidence extraordinaire, l'école d'ingénieurs où il venait d'être admis se trouvait alors rue des Saints-Pères et la Maison des Mines, où il logeait comme la plupart de ses condisciples, se dressait au 270 de la rue Saint-Jacques !

En d'autres termes, l'étudiant marocain qui ne connaissait rien du monde – ou qui n'en connaissait que ce qu'en disent les livres –, ce jeune homme qui venait tout juste de débarquer de son Atlas natal, se trouvait d'emblée jeté dans un territoire mythique…

Les jours de semaine avaient leur immuable routine. Lever à des heures décentes (tout autre chose que le lever aux aurores des années de classes préparatoires...), petit déjeuner frugal, puis c'était la « grandc promenade ». Cela avait duré trois ans et chaque jour, c'était différent de la veille. Il s'agissait de relier, à pied, le 270 de la rue Saint-Jacques au 28 de la rue des Saints-Pères. Cela peut se faire de vingt façons différentes : toutes étaient agréables, intéressantes, excitantes...

Au sortir de la Maison, ils prenaient à gauche. (« Ils », c'était les deux ou trois étudiants avec qui Ali se rendait chaque matin « à l'École ») De l'autre côté de la rue s'ouvrait la rue des Feuillantines. Victor Hugo avait habité, enfant, dans l'ancien couvent des Feuillantines – une plaque l'attestait. Après le coup d'œil à droite, à la mémoire du grand poète, Ali continuait sur le trottoir de gauche, descendant la rue Saint-Jacques d'un pas allègre, l'œil aux aguets.

Un jour, il croisa un chanteur célèbre à la hauteur du numéro 260. Il ouvrit grand les yeux, s'arrêta, se retourna. Ses compagnons n'avaient pas reconnu le chanteur, ou alors ils ne s'intéressaient pas à la « variété » française. Pour lui, ce fut comme si un dieu de l'Olympe lui était apparu pour lui révéler qu'il était son voisin. Parousie sur un trottoir parisien... Banal, tout cela ? Non. Il venait de débarquer du *bled* et voilà qu'il lui suffisait de sortir de sa chambre pour rencontrer à main droite Victor Hugo et pour croiser, quelques instants plus tard, à gauche, un autre artiste, vivant celui-là. Cela faisait quand même beaucoup pour un *p'tit gars* de Khouribga.

Ils continuaient leur marche vers le Savoir qui les attendait dans un autre arrondissement. à droite, de l'autre côté de la rue, s'ouvrait la rue des Ursulines. (Encore une rue qui tenait son nom d'un couvent !

Et on leur avait dit que la France était un pays laïc...) Ali n'avait pas tardé à découvrir, au numéro 10 de cette voie paisible, le fameux « Studio des Ursulines », grâce auquel il allait acquérir un embryon de culture cinématographique. Bresson, Antonioni, Tarkovski... C'était, chaque fois, un enchantement.

Plus loin, ils longeaient un mur haut et gris qui semblait cacher aux yeux du passant une école d'un type particulier : elle semblait noyée dans un silence épais et pourtant on voyait bien qu'elle abritait une activité permanente. Mystère... Ils apprirent que c'était l'Institut national des jeunes sourds. Ils en aperçurent quelques-uns, de ces jeunes sourds, qui leur semblèrent encore plus coupés du monde qu'eux-mêmes, plus *étrangers* en somme, engagés qu'ils étaient dans des conversations silencieuses faites de signes furtifs. Une plaque indiquait que c'était un certain « abbé de l'Épée » qui avait fondé cet Institut. Voilà qui expliquait le nom de la rue qu'ils prenaient à gauche pour continuer leur périple.

Ali fronça les sourcils de perplexité quand il lut, dans une encyclopédie, que la Constituante avait proclamé, en 1789, que « le nom de l'abbé [...] serait placé au rang de ceux des citoyens qui ont le mieux mérité de la nation et de l'humanité. » La Révolution chantant les louanges d'un homme d'Église ?

À force de passer dans *sa* rue, Ali finit par s'intéresser à la vie de ce brave homme, dénicha quelques détails, s'étonna que ce particulier qui consacra tout son temps et tout son argent, au point de mourir pauvre, à l'éducation des jeunes sourds n'eût pas été sanctifié par un des papes qui se sont succédé au Vatican depuis deux siècles. L'abbé faisait maintenant partie de cette longue théoric de Français qu'il admirait.

Au débouché de la rue de l'Abbé-de-l'Épée, il leur fallait traverser le boulevard Saint-Michel. Ils en avaient rêvé, à Casablanca, de ce fameux Boul'mich ! La circulation y était intense, ce qui leur laissait le temps de contempler le monument commémoratif qui perpétuait la mémoire d'un médecin célèbre – ou était-ce un pharmacien ? Ce boulevard ressemblait, par les plaques qui ornaient ses façades, à un défilé immobile de Français fameux, hommes de pierre qui les regardaient de haut et dont ils avaient parfois l'impression qu'ils leur disaient : « Eh bien, jeunes gens, essayez d'en faire autant ! » Le pas soudain plus assuré d'Ali et de ses condisciples semblait répondre : « Nous sommes sur la bonne voie, nous nous dirigeons vers le bâtiment majestueux qui abrite une grande école française, nous entrons dans la carrière… »

Leconte de Lisle, Édouard Branly (« qui découvrit le principe de la télégraphie sans fil »), Jules Vallès, ces vies pétrifiées restaient d'une placidité minérale qui semblait être l'aboutissement inéluctable de la trajectoire du grand homme.

Les passants leur semblaient d'ailleurs doués de qualités semblables : pressés, certes, et tout sauf immobiles, ils n'en étaient pas moins autant de masques figés qui ne marquaient que rarement le moindre signe d'intérêt envers eux. Ali et ses compagnons avaient parfois l'impression d'être invisibles. Il leur fallait entrer dans une boulangerie et acheter un croissant pour voir s'animer un visage, fût-ce un instant, et se poser un regard distrait sur leurs maigres personnes.

Après avoir traversé le boulevard Saint-Michel, ils se trouvaient confrontés à des choix multiples. Continuer par la rue Auguste-Comte ? C'était tentant mais risqué : l'itinéraire se prolongeait par la rue d'Assas, qui avait mauvaise réputation : c'était un « repaire de fachos », disaient certains de leurs condisciples français qui faisaient ainsi allusion à la faculté de droit qui s'y trouvait. Le plus souvent, pour éviter cette sinistre rue d'Assas, Ali longeait la façade de l'École des mines et entrait dans le jardin du Luxembourg par une petite porte peu fréquentée.

Son premier amour parisien l'accueillait : une statue représentant une adolescente qui ployait son corps en un déhanchement extraordinairement gracieux. Il ne le quittait pas des yeux, ce déhanchement, pendant les quelques secondes que durait leur rencontre quotidienne, en faisant tout de même attention à ce que ses condisciples ne remarquent rien de son manège. Ses amours de pierre n'étaient pas leur affaire.

Il faut dire qu'il n'était pas d'une fidélité à toute épreuve : c'était parfois d'autres statues qui le troublaient. Parmi elles, une belle femme aux formes généreuses qui, elle aussi, se déhanchait gracieusement. Mais elle portait en sautoir une grosse croix : sans doute était-elle vertueuse.

Les statues ont-elles une nationalité ? Question incongrue, certes, et jamais Ali ne se la posait, tant la réponse lui eût paru évidente : celles-ci étaient françaises, indubitablement, ces petits nez droits, ces cheveux souples quoique de pierre, ces vêtements légers, transparents et opaques en même temps (miracle du maillet et du ciseau à pierre…), ces drapés *beaux comme l'antique*, tout cela était français, il n'y avait aucun doute, et son amour *muet ainsi que la matière* n'était qu'un aspect de la fascination qu'il éprouvait pour le pays de l'abbé de l'Épée.

La traversée du jardin du Luxembourg prenait cinq bonnes minutes, chargées d'Art et d'Histoire – ces majuscules l'écrasaient autant qu'elles l'exaltaient, *un jour, tout cela sera à toi, mon fils.*

Quand il était seul, Ali s'amusait à prendre les petites allées, désertes à cette heure-là, et alors il était un milliardaire flânant dans le parc de son château, il fumait un cigare énorme autant qu'imaginaire, la panse avantageuse, *les pouces passés dans les entournures de son gilet,* il se pavanait… Les cours d'analyse ou de recherche opérationnelle pouvaient attendre.

Il sortait par la porte qui jouxtait le musée du Luxembourg, rue de Vaugirard, et prenait alors la rue Bonaparte, suffisamment longue pour qu'il finît – invariablement – par se poser la question suivante : puisque sous Bonaparte « avait percé Napoléon », quel besoin y avait-il d'avoir une rue perpétuant un état somme toute inférieur ? Après tout, raisonnait-il, il n'existe pas de rue-du-Capitaine-Charles-de-Gaulle, or le général avait bien dû être capitaine avant d'accéder à des grades supérieurs. Alors ?

Il finit par comprendre ce que tout cela signifiait (« Bonaparte » et « Napoléon » représentaient deux moments différents de l'Histoire de France) mais, pendant quelques mois, ce fut pour lui une délicieuse énigme – se l'être posée lui donnait quelque droit de propriété sur ces rues prestigieuses –, une énigme qui le faisait douter de la rationalité des échevins qui attribuent des noms aux rues.

Au bas de « Bonaparte », ils prenaient toujours à gauche, lui et ses camarades, ils traversaient la rue de Rennes et s'engageaient sur le boulevard Saint-Germain. Comme les passants étaient élégants le long de ce boulevard ! Par contraste, leurs godasses poussiéreuses, leurs parkas, leurs pantalons informes, tout ce qui habillait leur petite portée d'étudiants signalait qu'ils étaient autant d'intrus, à peine tolérés en ces lieux raffinés.

Ils longeaient, silencieux, la brasserie *Lipp*, devant laquelle fut enlevé Mehdi Ben Barka, le 29 octobre 1965. Ils n'en parlaient jamais. La politique, de bon matin, ça n'avait rien de ragoûtant…

(Et en fin d'après-midi, au retour, ils n'avaient aucune raison d'évoquer Ben Barka puisqu'ils marchaient sur le trottoir opposé, ce qui les amenait à passer devant le *Café de Flore*. Ali y aperçut un jour un *grand écrivain* et puis, un autre jour, un *grand metteur en scène* qui en sortait pour prendre un taxi, accompagné par un jeune homme attentionné et un petit chien, et une autre fois, ce fut un *grand philosophe*… à chaque fois, c'était le même saisissement. L'esprit du monde flottait devant lui, à quelques mètres, si proche et si loin… Après le Flore, ils passaient devant une librairie puis *Les Deux Magots*, autre café mythique dans lequel ils n'osaient pas entrer, pas même ce jour où ils aperçurent, attablé, Jean-Luc Godard, perdu dans ses pensées, tapotant de l'index *Le Monde* étalé devant lui.)

Ils étaient arrivés, ou presque. Il fallait encore traverser le boulevard puis prendre à droite la rue des Saints-Pères. Le square Taras-Chevtchenko, qui faisait l'angle du boulevard et de la rue, portait le nom d'un « poète, peintre et humaniste ukrainien ». Ali se promettait de s'intéresser un jour à cet homme. Ce jour ne vint jamais : Paris est inépuisable. Et encore, il ne s'agissait que du « triangle de Balzac », ou moins : quelques rues et un grand jardin semé de statues à l'intérieur de ce triangle.

Pour Ali, c'était le centre du monde. Prémonition du paradis…

Et maintenant, il en était chassé.

18

Au *Carillon*

Claire, qui habitait rue Marie-et-Louise – elle l'avait rebaptisée Thelma-et-Louise – lui avait donné rendez-vous au *Carillon*. La circulation, dense comme toujours à cause de la proximité de l'hôpital Saint-Louis, les conversations animées, les tintements de verre, de temps à autre un éclat de rire, tout cela faisait un fond sonore auquel les deux amies étaient tellement habituées qu'elles ne le remarquaient plus.

Malika soupira.

— C'est fou comme la vie peut changer en quelques semaines. En même pas un mois !

Claire hocha la tête.

— En même temps, ça se comprend. C'est dégueulasse, ce qu'ils lui ont fait. Mais bon, il aurait pu rester, bosser sur d'autres contrats... Un job, c'est un job. Et le salaire à la fin du mois, c'est important. Il est bien payé, non ?

— Exactement ce que je lui ai dit. Mais non : il a démissionné, quelques jours après. Une question d'honneur, paraît-il. L'honneur, c'est important chez les Maghrébins…

Claire esquissa un sourire taquin.

— *Vous autres*, Maghrébins ? Malika haussa les épaules et répéta :

— *Les* Maghrébins. *Eux*. Ils ne supportent pas de perdre la face… Le sens de l'honneur, ils appellent ça le *nif*. Ça veut dire le « nez ».

Elle se retroussa le nez de l'index. Claire, épatée, aussi heureuse qu'un ethnographe qui vient de noter sur son calepin une particularité étrange d'une peuplade lointaine, répéta :

— Le nez ?

— *Yes*, le nez.

— Genre : « Rodrigue, as-tu du nez ? »

19

Futuwwa'[1]

L'honneur.

Le sens de l'honneur.

La chevalerie : sait-on que ce code de l'honneur vient de l'Espagne arabe ?

« L'époque de la naissance de la chevalerie est celle précisément où la morale des Arabes était arrivée au plus haut terme de délicatesse et de raffinement, où la vertu était l'objet de leur enthousiasme, et où la pureté du langage et des pensées chez leurs écrivains fait honte à la corruption des nôtres. Enfin de tous les peuples de l'Europe, les plus chevaleresques sont les Espagnols, et ce sont les seuls qui aient été immédiatement à l'école des Arabes. [...] La chevalerie est une invention arabe[2]. »

---

1. « Chevalerie. »
2. Jean de Sismondi, *De la littérature du midi de l'Europe*, 1813.

20

J'ai un concubin mutique

— Tu te moques mais Rodrigue aurait parfaitement compris si Don Diègue lui avait demandé : « As-tu du nez ? » *Cid*, ça vient de *sayyid*, « le seigneur », et le vrai Cid se mettait parfois au service de princes arabes en Andalousie. Il parlait arabe, ce mercenaire intrépide, il savait forcément ce que *nif* signifie.

Claire joua l'indignation :

— Les rebeux changent nos classiques ! Ils nous prennent nos femmes puis not' *Cid*…

Elle redevint sérieuse.

— Trêve de plaisanterie… Alors, Ali ? Donc, il a démissionné ?

— Ben oui, le fameux sens de l'honneur… Le *nif*… Et puis, l'atmosphère avait changé dans la boîte. Forcément, tout le monde savait qu'il avait été écarté du projet. Du coup, on le regardait… comment dire ? Enfin, *il avait l'impression* qu'on le regardait autrement. Genre : il va prendre un café, les conversations s'arrêtent autour de la machine, dans le couloir, tu vois ?

Claire hocha la tête.

— Oui, je vois. Ça doit être pénible.

— Pénible ? Attends, c'est invivable ! Tu ne peux pas travailler dans ces conditions. C'est comme si tu avais la peste, quoi. On ne te parle plus vraiment, que des banalités, on te regarde en biais…

— Et personne n'a pris sa défense ?

— Si, mais il paraît que c'était pire encore. Des collègues sont venus lui dire qu'ils trouvaient dégueulasse ce qu'on lui avait fait. Ça l'a déprimé encore plus. Il y a quelques semaines, c'était le petit génie de l'informatique, on l'admirait, il faisait envie… et maintenant, il fait pitié ! On vient le *consoler*…

Claire fit la moue.

— Ouais, je comprends… Ma grand-mère disait : « Mieux vaut faire envie que pitié. »

Malika hésita un instant puis elle haussa les épaules et continua :

— Bref, il a donné sa démission et il est parti. Ou plutôt, il est rentré à la maison. Ce qui m'a sidérée, c'est qu'il ne m'a même pas demandé mon avis. Moi aussi, j'en subis les conséquences, non ?

— Qu'est-ce qu'il fait, à la maison ?

— Rien. Il passe ses journées étendu sur le lit, les yeux fixés au plafond. La grosse déprime, quoi. Heureusement que je le nourris, je suis sûr qu'il ne mangerait rien, sinon. Parfois, il se lève, va tapoter sur son ordinateur puis revient s'étendre sur le lit. Je vais à l'école, je reviens le soir : on dirait qu'il n'a pas bougé. Je l'appelle sur son portable, il ne répond pas.

— Mais vous en parlez quand même, le soir ?

Malika fit une sorte de grimace amère.

— Pas vraiment. Ça aussi, c'est une forme du *nif*. Les mecs, au Maghreb… Ils ne parlent pas de leurs problèmes, ils les ruminent, ils gardent tout à l'intérieur et puis, c'est comme les cocottes-minute, un jour, à force de pression, ça explose.

Claire, ébahie, s'exclama :

— Tu as déjà vu une cocotte-minute exploser ?

— Écoute, Claire, je te parle d'un truc sérieux et toi, tu… tu digresses.

Claire regarda son amie attentivement puis elle déclama avec emphase :

— Malika, mon enfant, ma sœur, as-tu de l'orteil ? De la cheville ? Du genou ?

L'autre n'y comprenait rien.

— De l'orteil ? De la ch… ? Qu'est-ce que tu racontes ?

Claire affirma gravement que c'était comme cela qu'eux autres, dans leur Corrèze profonde, désignaient le sens de l'humour (« avoir de l'orteil »), que pour le sens de la dérision, on disait « avoir de la cheville », et pour « allez, relaxe, c'est ta copine Claire qui essaie de te remonter le moral », on disait : « avoir du genou ». Et, poursuivit-elle, « quand on n'a pas de genou, ça sert à quoi que Claire, elle se décarcasse ? ».

— Oui, je sais que tu essaies de me remonter le moral. Mais bon, tout ça n'est pas très gai. J'ai un concubin mutique qui étudie le plafond depuis deux semaines, je n'existe plus et du coup, je ne sais plus comment voir l'avenir.

— Bon, ne t'en fais pas trop, l'avenir prendra soin de lui-même.

Malika, après un moment de silence, protesta :

— Ça veut dire quoi ? Désolée, mais ça m'a l'air un peu con, comme phrase.

Claire, piquée, répliqua :

— Ouais, mais si c'était le dalaï-lama qui l'avait dite, ou Einstein, tu la trouverais profonde, cette phrase.

— Le dalaï-lama ? Ça me rappelle quelque chose… Tu saurais prononcer *dal'a*, toi ? *'a... 'a...*

Claire entra dans le jeu sans demander pourquoi on lui demandait tout à coup de jouer les agonisantes. Elle se mit à émettre des *'a... 'a...* de plus en plus étranglés. Le soir tombait doucement pendant que les deux jeunes femmes s'arrachaient la gorge à essayer d'émettre le son guttural du *'ayn*. Cela finit par des hurlements de pourceaux égorgés, au grand effroi des habitués du *Carillon* qui s'étaient crus, jusque-là, à l'abri des cris d'horreur du monde.

Le patron, amusé, vint leur demander de « faire moins de bruit » ou bien de chanter, carrément, « mais en italien, s'il vous plaît ». Elles promirent de mieux se tenir.

21

« Une nouvelle écriture de l'Histoire »

Nous avons quitté les Arabes défaits, *écrasés*, leur héros Nasser réduit à une ombre mélancolique, se détruisant à petit feu, emporté à cinquante-deux ans par une crise cardiaque.

Le panarabisme mourut ce jour-là, le 28 septembre 1970.

On lui fit des funérailles grandioses.

D'autres voulurent relever le flambeau. Un certain Saddam Hussein, d'incertains Assad, père et fils – je dis « incertains », parce qu'on ne sait pas grand-chose de la secte à laquelle ils appartiennent, les alaouites.

Pendant près de neuf ans, les Arabes vécurent dans les limbes, dans une sorte de stupeur honteuse.

Il y eut bien la guerre d'octobre 1973 qui restaura, selon la formule convenue, l'honneur des Arabes… On se répétait, à l'époque, les exploits des Égyptiens : le génie égyptien avait saboté le dispositif qui devait transformer le canal en muraille de feu, l'infanterie put donc le traverser à bord de bateaux pneumatiques propulsés à la rame. Les forts de la ligne Bar-Lev cédèrent aux assauts égyptiens. Les attaques de blindés israéliens furent mises en échec grâce aux missiles portables dont disposaient de simples soldats. (Jamais dans l'histoire militaire, des forces d'infanterie n'avaient réussi à mettre en déroute des blindés.) Les Égyptiens construisirent en quelques jours une vingtaine de ponts sur le canal. Tous les services de renseignement avaient estimé la chose impossible. (On imagine le haussement d'épaules méprisant, le petit ricanement… « Travail d'Arabe. »)

L'honneur était restauré.

Mais encore ? Quel fut le bilan de cette guerre ? Pour les Égyptiens, le traumatisme de la guerre des Six-Jours fut guéri. Ils purent faire la paix avec Israël, mais la question palestinienne ne fut pas résolue. Pourtant, Anouar el-Sadate, dans son discours du 20 novembre 1977, devant la Knesset, avait averti solennellement : « Je vous le dis : la paix ne sera réelle que si elle est fondée sur la justice. La paix ne peut être obtenue sans les Palestiniens. Ce serait une grossière erreur que de détourner nos yeux de ce problème… Si vous avez pu trouver les justifications qui vous ont permis de fonder un État sur un territoire qui n'était pas le vôtre, comprenez alors la détermination du peuple palestinien à établir son État dans sa patrie. »

Et il conclut : « La paix n'est pas une signature apposée sous un texte. C'est *une nouvelle écriture de l'Histoire.* »

Ce sont là deux phrases importantes.

Une signature sous un texte ? On sait ce que cela vaut. N'est-ce pas, messieurs Sykes et Picot ?

Une nouvelle écriture de l'Histoire ? Oui. Mille fois oui. Cela veut dire : écoutez notre récit, nous écouterons le vôtre.

Pourtant, rien de cela ne se fit. La question palestinienne ne fut même pas posée. Les Arabes isolèrent les Égyptiens, qui avaient pactisé avec l'ennemi, ils les exclurent de cette Ligue arabe qui ne représentait plus grand-chose.

Et ils retournèrent à leur mélancolie.

22

Tu perds sur les deux tableaux

Ali était étendu sur le lit, les bras croisés derrière la tête, fixant obstinément le plafond. Brahim était à son chevet, penché sur lui.

— Tu vois, Ali, je te l'ai toujours dit : on ne sera jamais vraiment acceptés ici. *Ma kay-hemlounach*[1]. Il y a même un mot pour ça : « islamophobie ». C'est parce que tu es musulman qu'ils t'ont fait ce sale coup.

Ali se redressa et pointa le doigt vers son cousin.

— Il y a peut-être une autre raison. Malika pense que c'est à cause de toi qu'ils m'ont écarté du projet !

Brahim tombait des nues.

— Moi ? Qu'est-ce que j'ai fait ?

Ali continuait d'agiter l'index comme pour souligner la gravité de ses accusations.

— Oui, toi ! Parce que tu es mon cousin et que tu fréquentes la mosquée de la rue Jean-Pierre-Timbaud. Tu dois être fiché par les flics.

Brahim était blême.

1. « Ils ne nous aiment pas. »

— Malika pense vraiment ça ?

— Elle me l'a dit. Brahim secoua la tête.

— Non, non, ça ne peut pas être elle. Ça doit être l'autre, son amie, la Française…

— Qui ? Claire ?

— Ça doit être elle. C'est elle, j'en suis sûr !

Ali haussa les épaules et s'étendit de nouveau sur le lit.

— Pourquoi tu dis ça ? Elle ne te connaît même pas, Claire. Elle sait à peine que tu existes.

— Elle a une mauvaise influence sur Malika. C'est pas normal que ta femme… enfin, ta… euh, Malika, passe autant de temps avec cette Claire, qui n'est même pas musulmane. Elles sont tout le temps dans des cafés. Tu ne devrais pas accepter ça.

Ali soupira.

— Je n'ai rien à accepter ou à refuser… Elles se connaissent depuis l'école primaire ! Quand je lui fais la moindre remarque sur Claire, genre « elle s'habille bizarrement » ou « elle dit des grossièretés », Malika devient nerveuse, elle me coupe la parole, elle me dit qu'elle la connaît depuis plus longtemps que moi et que je n'ai pas à faire des commentaires sur son amie.

— C'est chasse gardée, quoi…

Brahim se tut un instant. Sans doute ruminait-il des rancœurs dont l'autre n'avait aucune idée. Il reprit, sur un ton faussement détaché et insinuant :

— Je les ai vues une ou deux fois dans un café, en bas de la rue de Charonne. Elles ne me voyaient pas. J'étais pourtant assis pas loin… Mais non, c'était comme si j'étais transparent. Elles ne m'ont pas regardé une seule fois. Elles ne s'occupaient que d'elles-mêmes…

Il se tut un instant, puis :

— Elles se tiennent par la main, elles se font des « bises », comme ça, sans raison, ce n'est pas normal…

Ali l'interrompit.

— Je te l'ai dit : elles se connaissent depuis l'école primaire. Elles ont partagé un studio, après le bac. Elles étaient inséparables. Attends… Pourquoi est-ce qu'on parle de ça, d'abord ?

Brahim leva les deux mains en l'air, comme pour protester de ses bonnes intentions.

— Malika prétend qu'ils t'ont viré à cause de moi. Et moi, je dis que Claire…

Ali se redressa et cria :

— Personne ne m'a viré ! J'ai donné ma démission !

Brahim se fit conciliant.

— D'accord. Mais en fin de compte, c'est la même chose. C'est la conséquence de l'islamophobie.

Il se mit à ricaner.

— L'ironie, dans cette histoire…

Ali l'interrompit.

— Quoi, l'ironie ? Elle te fait rire, cette histoire ?

— Calme-toi, je suis de ton côté. Je suis ton cousin, non ? Mais je trouve ironique que vous soyez victimes de l'islamophobie, toi et Malika, alors que vous n'êtes même pas musulmans…

Ali protesta :

— Qu'est-ce que tu veux dire ? On est tous musulmans, non ?

Brahim secoua la tête.

— Tu plaisantes ? Tu crois que c'est comme un chapeau, tu le mets quand tu veux et tu dis : « Regardez-moi, je porte un chapeau » ?

Il fit le geste exagérément maniéré de quelqu'un qui mettrait son chapeau et l'ajusterait devant son miroir. Ali soupira, excédé.

— Tu me fatigues… De quoi tu parles ? Il faut porter un chapeau pour être musulman ? Un turban ?

Brahim prit le ton posé d'un professeur en butte à la mauvaise volonté d'un élève.

— J'essaie de t'expliquer un truc. Tu ne peux pas juste proclamer « Je suis musulman ». Il faut le *prouver*. Il y a des choses à faire, des… comment on appelle ça ? Des rites. Des obligations. Le culte : *al-'ibadât.* Par exemple, tu *dois* faire la prière. Ce n'est pas une option, c'est o-bli-ga-toire. Je ne t'ai jamais vu faire la prière ! Et Malika, n'en parlons pas… Ensuite, tu dois mener une vie conforme à l'enseignement du Prophète. Par exemple, tu dois manger *halal*. Vous ne mangez pas *halal*, vous deux.

Ali ricana amèrement.

— Malika, elle mange plus *halal* que toi : elle est végétarienne. Tu ne vas pas me dire qu'il y a des courgettes qui ne sont pas *halal* ?… des navets *haram* ?

Brahim murmura, songeur :

— Il y a une *fatwa* qui dit que la tomate est chrétienne.

— Ah bon ? Une tomate, un jour, est allée se faire baptiser ? Toute seule, comme une grande ? à Notre-Dame ? Mais il est complètement con, l'imam qui a pondu cette *fatwa* !

— Bon, je ne suis pas non plus d'accord avec lui. Je mange des tomates, moi. Une salade marocaine, sans tomate, il reste rien… Mais c'est juste pour te dire qu'on ne peut pas décider, seul dans son coin, qu'on est musulman. Il y a des règles à suivre, il faut se renseigner, voir un imam…

Ali secoua la tête en roulant les yeux.

— On est bien les seuls à se compliquer la vie. J'ai une collègue italienne qui me dit qu'en Italie les gens vont trois fois à l'Église dans leur vie : pour se faire baptiser, pour se marier, pour se faire enterrer. Pourtant, ils s'affirment catholiques et personne ne leur dit le contraire. Pas même le pape ! y a que nous pour nous compliquer la vie. Fais ceci, fais pas cela…

Brahim haussa un peu la voix.

— Possible. Mais c'est mieux, en face ? Chez *tes* Italiens ? à force de ne pas se compliquer la vie, ils en sont où ?

L'autre ricana.

— Ils sont vingt fois plus riches et plus développés que nous. Ils ont le plus beau pays du monde. Et ils n'ont pas l'air particulièrement malheureux. Tu as déjà été à Rome ?

Brahim ne répondit pas directement. Il poursuivit son idée.

— Ils en sont où ? Ils sont vides à l'intérieur.

— Ils sont bien sapés à l'extérieur.

Brahim fronça les sourcils.

— Tu préfères l'extérieur à l'intérieur ?

Ali laissa échapper un gros soupir. Non, vraiment, il n'avait pas envie de continuer cette discussion dont il ne voyait pas l'intérêt.

— Dis-moi, Brahim, tu es passé me voir pour quoi ? Pour me parler de tomates et d'Italiens ? Ou alors d'une espèce de mélange entre le zen, la topologie et le soufisme, genre : « tu préfères l'extérieur à l'intérieur » ?

Brahim, froissé, grommela.

— Je suis passé pour t'aider à… à surmonter ta dépression.

Ali sursauta.

— Quelle dépression ? Je ne suis pas déprimé. Je fais le point, je réfléchis.

— Tu appelles ça comme tu veux. Mais c'est mon devoir, en tant que cousin, en tant que musulman, de te venir en aide.

— Et tu crois me venir en aide avec cette histoire d'islamophobie ? Ça me déprime encore plus… Je veux dire : ça me *déprimerait* encore plus si j'étais déprimé.

Il secoua la tête.

— Tout ça m'épuise. Si tu veux vraiment m'aider, renseigne-toi à la mairie, ou à la chambre de commerce, pour savoir comment on peut créer une entreprise. Je vais monter ma propre boîte de services informatiques.

Brahim se leva, s'éloigna et pointa l'index sur Ali toujours étendu sur le lit.

— Je vais te dire un truc, Ali. Tu perds sur tous les tableaux… sur les *deux* tableaux. Tu t'es éloigné de ta religion, tu as renié mille ans de tradition et pour quoi ? Pour t'agripper au vide ! Tu sautes d'une rive à l'autre, sauf qu'il n'y a rien sur l'autre rive. Une illusion… Des zombies. « Bien sapés », comme tu dis. Des zombies-Armani. Tu te promènes ici, tu les singes, tu crois leur ressembler. Quand *ils* te mettent une gifle, tu tends l'autre joue.

Il ricana.

— C'est très chrétien, ça, bravo. Une gifle, une autre… On te crache à la gueule, tu dis merci. Merci,

« je vais monter ma propre boîte de services informatiques ». En attendant le prochain crachat…

Ali, piqué, grinça :

— Et toi alors, qu'est-ce que tu fais ici ? Si ça te déplaît autant, va-t'en ! Qu'est-ce que tu fous à Paris ? T'as qu'à aller vivre à La Mecque !

Brahim écarquilla les yeux.

— Je ne peux pas croire que tu cites le Front national. « La France, tu l'aimes ou tu la quittes. »

— D'abord, je ne cite personne : je suis simplement logique. Tu ne peux pas passer ton temps à insulter l'Europe et en même temps y habiter, bien au chaud.

Il jeta un coup d'œil par la fenêtre.

— Enfin, bien au chaud, c'est une façon de parler…

Il enfonça le clou :

— Je me fous de savoir qui a inventé la formule mais elle me paraît logique. « L'Europe, tu l'aimes ou tu la quittes. »

Brahim laissa passer quelques secondes avant de répondre, l'air faraud.

— Eh bien, je la quitte. C'est exactement ce que je vais faire. J'ai trouvé un job à Dubai. J'étais aussi venu te dire ça.

Ali était surpris.

— Dubai ?

— Oui.

Ali se redressa lentement.

— Dubai, « le temple de la consommation » ? C'est là que tu vas t'installer ? Le plus grand *shopping mall* du monde ! La plus grande concentration de Rolls de la planète ! Le plus haut gratte-ciel du monde, genre « plus près de toi, mon Dieu »… et ils y ont mis quoi ?

Un hôtel Armani, justement ! Ils ne sont pas « vides à l'intérieur », eux ?

Brahim était maintenant sur la défensive.

— Ben non, ils sont musulmans.

— Ah ouais, ils ne sont pas vides, ils sont pleins d'islam… C'est vrai qu'ils sont gros. Des gros pleins de soupe, pleins d'islam… Des musulmans-Armani qui roulent en Ferrari… et qui font bonga-bonga dans leur harem *halal*… Mais ils ne sont pas vides, eux… hein ?

Brahim serrait les dents, comme pour se retenir d'éclater. Il finit par murmurer :

— Tu es en pleine caricature. *Allah yehdik*… Réfléchis, tu verras que j'ai raison.

Il se dirigea vers la porte puis se retourna.

— Souviens-toi de ce que je dis. Toi, pour le moment, tu perds sur les deux tableaux. Tu n'es ni ici ni là-bas.

Il haussa un peu la voix.

— *Eh a weldi*[1] *!* Tu perds sur les deux tableaux !

Il sortit. Ali se recoucha, prit un oreiller et le mit sur sa tête. Il n'avait plus envie de rien voir. Même la lumière le dérangeait.

---

1. « Oui, mon vieux ! »

23

Ayatollah et Grand Marnier

Et soudain, l'ayatollah !

Les Arabes, un temps grisés par la guerre d'Octobre, avaient de nouveau sombré dans leur profonde mélancolie. Vaincus, méprisés, ne comptant pour rien... Risée de l'univers.

Et puis, un jour de février 1979, ils se réveillèrent *musulmans*. Ils pouvaient redresser la tête.

Cette révolution aux conséquences incalculables (nous sommes encore dans les turbulences de son sillage) fut préparée dans une paisible commune française du département des Yvelines. En octobre 1978, l'ayatollah Khomeyni, adversaire implacable du shah d'Iran, se réfugie en France, à Neauphle-le-Château.

Je suis allé voir, on ne voit pas grand-chose. L'habitation, route de Chevreuse, est aujourd'hui détruite. Le gouvernement iranien avait demandé qu'elle fût transformée en musée... Ainsi eût été inscrit le triomphe de l'islamisme à l'endroit même où, en 1827, Jean-Baptiste Lapostolle fonda une distillerie produisant des liqueurs de fruits. Levons donc un verre de Grand Marnier (il fut inventé là) à la mémoire de l'ayatollah…

L'Histoire s'amuse.

Puis elle reprend immédiatement son masque tragique.

Les partisans de Khomeiny enregistrent les anathèmes que fulmine le vieil homme et ce sont bientôt des centaines, des milliers de cassettes audio qui sont envoyées clandestinement en Iran où elles sont dupliquées et diffusées.

Que peut la censure, que peut la police politique du shah, la Savak, contre cela ? Pas grand-chose… L'islamisme gagne chaque jour du terrain, porté par cette voix *magnétique* – au propre comme au figuré.

Début 1979, la révolution est dans la rue : on s'y bat, on y affronte l'armée du shah – ce sont surtout des jeunes d'extrême gauche, les moudjahidin, les fedayin du peuple, ou bien les communistes du Toudeh, qui donnent leur vie pour cette cause qui n'est pas la leur – ils ont cru, tragiquement, à la fable de la « révolution prolétarienne » dans laquelle les islamistes ne seraient que l'allié du moment.

Il les dévorera, l'allié intraitable qui ne connaît que le Livre et abhorre Lénine.

Khomeiny retourne en Iran le 1er février 1979, volant au secours de la victoire – dans un avion d'Air France…

Il est d'abord « chef de la révolution », puis « chef spirituel suprême » : du profane on glisse vers le sacré. La République *islamique* est instituée par référendum. La religion, ou plutôt le *pouvoir religieux*, domine l'ensemble des institutions. La Constitution consacre l'islam (version « chiisme duodécimain ») religion d'État. La loi iranienne doit être en accord avec la *charia*.

Et puis, il y a l'affaire des otages. C'est là que nous reprenons le fil de *notre* histoire. Les Arabes dressent l'oreille, intrigués. Que se passe-t-il chez les Perses, les rivaux ancestraux ?

Auraient-ils trouvé la solution[1], la feinte imparable, le coup habile par lequel on fend le jarret de l'ennemi qui a trop présumé de ses forces ?

Des étudiants autoproclamés « Partisans de la ligne de l'Imam » forcent les portes de l'ambassade des États-Unis à Téhéran et séquestrent cinquante-deux Américains, en majorité des diplomates. Les images font le tour du monde. Qui est humilié, à présent ? Des Américains, les yeux bandés, les mains attachées derrière le dos, trébuchent, hésitent, marchent maladroitement entre leurs ravisseurs. Ceux-ci les retiendront en otage pendant quatre cent quarante-quatre jours.

Khomeiny approuve le coup de force des étudiants. Il exige des États-Unis l'extradition du shah, qu'il veut faire juger, et très certainement pendre.

Le monde retient son souffle.

On attend John Wayne, la cavalerie, MacArthur… le clairon sonne !… ils arrivent, les voici, les voilà, qui les a vus ?… ils ne devraient pas tarder à débarquer en technicolor pour châtier ces impudents Indiens – ou Iraniens, on s'y perd, peu importe.

Jimmy Carter, président des États-Unis, lance une opération commando mais la tentative échoue lamentablement : les hélicoptères *s'écrasent* dans le désert, en pleine tempête de sable. Incident technique, dit

1. Le slogan des islamistes est « L'islam est la solution ».

le récit américain. Un signe de Dieu, affirment les musulmans.

Les Arabes se réveillent musulmans. Ils se réveillent d'un cauchemar et sautent à pieds joints dans un rêve qui dure encore…

En tant qu'Arabes, ils étaient régulièrement *écrasés*… En tant que musulmans, ils se sentent invincibles. En tant que musulmans, ils ont tenu tête à la première puissance mondiale pendant quatre cent quarante-quatre jours.

444 : chiffre magique. C'est le chiffre de l'islamisme triomphant. Un ami m'a fait remarquer, il y a quelques semaines, que 444, c'est exactement *deux tiers* du chiffre de la Bête[1]. Il y avait de la marge.

Il a ajouté, dans un souffle : « Elle a été comblée par Daesh. »

1. Apocalypse de Jean, XIII, 18.

24

Qu'est-ce qu'on mange ?

À sept heures quinze, le radio-réveil se déclencha. Malika l'éteignit vite, d'une paume tâtonnante, nerveuse, les yeux encore fermés. Elle s'était aperçue, depuis quelques jours, qu'Ali ne supportait plus d'être réveillé par la radio – ou était-ce par France Inter, spécifiquement ? Elle n'avait pas osé lui poser la question, craignant de déclencher une diatribe contre les médias. En tout cas, et c'était nouveau, il grognait maintenant dès que la radio se mettait en marche, ou bien il soupirait de façon exagérée, laissait échapper une exclamation rageuse, se retournait dans le lit, rabattait le drap sur ses oreilles… Eh bien, soit ! elle éteignait tout de suite l'appareil, dès qu'il avait rempli son office. Elle s'était habituée à se réveiller sans aucunes nouvelles du monde. Peut-être était-ce mieux ainsi. Le monde se signalait, en général, par ce qui n'allait pas. Le journal du matin résumait les catastrophes de la nuit. On s'en passerait.

Elle alla se faire un café dans la cuisine, grignota une biscotte beurrée et avala un fruit. En bas, dans le jardin, quelques Chinois faisaient des mouvements de gymnastique. « Quelle est la différence entre le *tai chi* et le *qi gong* ? » lui avait un jour demandé une voisine. Voilà de ces questions incongrues qui vous assaillent quand on habite du côté de Belleville… Elle sourit, essaya d'imiter les gestes lents que faisaient les Chinois en contrebas, puis alla prendre sa douche. En se passant du savon sur les cuisses, le genou plié, le pied posé sur le rebord de la baignoire, elle se dit que cela faisait longtemps que personne ne les lui avaient caressées ; puis elle songea machinalement qu'elle devrait peut-être prendre l'habitude de se laver à l'eau claire – « le savon décape la peau », les magazines féminins ne cessaient de le lui rappeler – et, un mot en suggérant un autre, elle pensa à Claire – « il faut que je l'appelle, j'ai besoin de ses conseils, surtout en ce moment… ».

Elle appliqua une crème hydratante sur son visage en se regardant dans le miroir – « Je n'ai pas l'air gaie… », puis s'habilla en faisant attention à ne pas faire de bruit. Ali semblait dormir profondément. Elle sortit sans claquer la porte, la refermant doucement avec la clé enfoncée dans la serrure et tournée à fond vers la droite, n'engageant l'extrémité du pêne dans la gâche qu'au dernier moment, avec mille précautions, comme si le moindre bruit pouvait déclencher une explosion.

— Je deviens parano, pensa-t-elle.

Elle descendit la rue des Couronnes jusqu'au croisement de la rue et du boulevard de Belleville, tourna vers la droite et marcha jusqu'à l'école en s'efforçant de ne pas ressasser ces inquiétudes qui lui étreignaient le cœur depuis le réveil. Allons, il allait s'en sortir,

Ali, c'était une question de temps… *Le temps, le grand consolateur…*

Devant le bâtiment qui abritait l'école, elle leva les yeux. Sur la longue façade, on avait ménagé autrefois des niches à intervalles réguliers, mais ce n'était pas des statues de la Vierge qu'on y avait placées, c'était les gloires de la République laïque : Renan, Marie Curie, Sadi Carnot, Zola, Pasteur, Jules Ferry, Jaurès… Les noms s'étalaient sous les peintures un peu défraîchies. D'habitude, ce prestigieux comité d'accueil qui semblait promettre aux élèves la reconnaissance de la nation et la gloire pour peu qu'ils *s'appliquent*, qu'ils travaillent, qu'ils développent leurs talents, l'émouvait autant qu'il l'amusait. Mais ce jour-là, ils prirent un autre visage, ces héros, un visage vaguement hostile, on aurait dit qu'ils serraient les rangs, rejetant vers le boulevard les naïfs qui auraient eu la prétention de vouloir se joindre à eux. Il y avait pourtant un Italien et une Polonaise parmi eux. *Oui, mais pas d'Arabe.* C'était la première fois qu'elle se faisait cette réflexion. Elle secoua la tête.

— Je suis parano.

Elle entra dans l'école, salua le concierge, bavarda avec quelques collègues puis se dirigea vers sa salle de classe. Elle se mit devant la porte et attendit quelques instants. (Que fait Ali en ce moment ? S'est-il réveillé ?) Les enfants arrivaient dans un désordre joyeux, une débauche de couleurs. Elle s'efforça de les saluer tous par leur prénom, comme chaque matin. Voilà, la journée pouvait commencer.

Ce jour-là, c'était grammaire et orthographe. Elle se concentra là-dessus, énonça des règles, donna quelques exemples, les fit répéter. Elle oublia tous ses soucis.

à la pause, elle croqua une pomme en regardant les enfants jouer dans la cour. (Il doit être réveillé. Mais que fait-il ? Il regarde la télé ? Il consulte ses mails ?) Puis les élèves revinrent et ce fut des exercices de calcul, et enfin le jeu du dictionnaire : elle lisait des définitions, ils devaient trouver le mot correspondant.

L'après-midi s'écoula de la même manière. S'occupant des élèves, elle évitait de s'occuper d'elle-même, de penser. En sortant de l'école, elle passa au Franprix du boulevard de Belleville, acheta une bouteille d'eau minérale – Ali oubliait toujours l'eau minérale, ou alors il prétendait qu'elle n'était pas meilleure que l'eau du robinet – puis elle fit quelque pas, tourna et remonta la rue des Couronnes, sur le trottoir de droite, pour éviter les cafés à chicha du trottoir de gauche, ces cafés peuplés uniquement d'hommes – *comme là-bas*... – et dont les effluves lui donnaient mal à la tête. Les télévisions étaient souvent branchées sur des matches de football. « Ce n'est pas comme ça que vous allez vous cultiver... » Bon, qu'ils se débrouillent, elle n'était pas d'humeur à leur faire la leçon, fût-ce silencieusement.

Elle entra dans la résidence à la suite d'un couple de Chinois. Elle marcha jusqu'à l'immeuble où elle habitait avec Ali et monta lentement l'escalier qui menait au quatrième étage. Elle pensa aux temps pas très lointains où elle les grimpait quatre à quatre, ces marches qui lui paraissaient maintenant un peu trop hautes. Arrivée devant la porte, elle fit une courte pause, ferma les yeux et essaya de retrouver cette sérénité qui l'avait abandonnée depuis quelques semaines. Elle sonna puis engagea la clé dans la serrure, ouvrit et entra. Elle déposa les courses dans la cuisine, à gauche, puis alla jeter un coup d'œil dans le salon.

Ali était assis sur le sofa. Il regardait la télévision d'un œil morne. Elle se rendit compte qu'elle portait encore son manteau, retourna l'accrocher à une patère, dans l'entrée, et revint faire la bise à son compagnon, en se penchant. Il ne réagit pas.

Elle s'efforça de prendre un air enjoué.

— J'ai une faim de loup. Qu'est-ce qu'on mange ?

Ali répondit d'une voix un peu rogue.

— Je ne sais pas.

Elle fronça les sourcils.

— Comment ça, tu ne sais pas ? Tu n'as pas fait les courses ?

Il laissa passer quelques secondes avant de répondre, sur le même ton :

— Si, j'ai acheté plein de trucs. Ils sont dans le frigo. Ou sur la table.

— Alors, qu'est-ce qu'on mange ?

Il y eut de nouveau ces quelques secondes agaçantes avant que la réponse ne tombe, sèche.

— Je ne sais pas.

Malika ne comprenait pas.

— Attends, tu te moques de moi ? C'est un sketch ?

Elle regarda autour d'elle.

— C'est pour la caméra cachée ?

Ali prit un ton sinistre.

— Très drôle. Mais je ne suis pas d'humeur…

Il ne finit pas sa phrase. Malika s'éloigna un peu, le regarda un instant puis, s'efforçant de nouveau de prendre un ton enjoué, elle répliqua :

— Bon. Alors on recommence.

Elle mima un dialogue :

— « Chéri, tu as fait les courses ? – Oui, ma chérie. – Qu'est-ce qu'on mange ? – Je ne sais pas. »

Elle reprit un ton sérieux pour conclure :

— Je suis censée deviner quelque chose ?

Ali n'avait pas cessé de regarder la télévision.

— Malika, je ne suis pas d'humeur à plaisanter. Tu peux quand même t'en rendre compte ?

Malika alla s'asseoir sur une chaise et le regarda quelques instants.

— Ali, quel jour on est ?

Il hésita puis répondit, de mauvaise grâce.

— Mardi.

— Bien. Et le mardi, qui est censé faire la cuisine ?

Il ne répondit pas. Malika se fit conciliante.

— Si tu es malade, s'il y a une raison sérieuse, d'accord. Mais en principe, le mardi, le jeudi et le dimanche, c'est toi qui fais la cuisine. Les autres jours, c'est moi. Le samedi, on sort. Enfin, c'est la théorie, parce que ça fait un bail qu'on n'a pas mangé au restau…

Ali se retourna soudain et la regarda bien en face. Il aboya :

— C'est quoi, ça ? Une loi ? La constitution ? La *shari'a* ?

Surprise, Malika ouvrit légèrement la bouche et resta ainsi quelques instants, sans bouger. Puis elle se mit à parler, d'abord avec hésitation puis de plus en plus fermement.

— Non… ce n'est pas une loi… ou plutôt si : au fond, c'est *une sorte de loi*, on s'est mis d'accord là-dessus, non ?… quand on a décidé de vivre ensemble. Je n'ai quand même pas besoin de te rappeler ça ? Ça fait des mois qu'on vit comme ça.

Ali secoua la tête et se mit de nouveau à regarder la télévision. Il grommela quelque chose.

— *La'b en-n'sara...*

Malika n'avait pas bien entendu.

— Qu'est-ce que tu dis ? Tu peux répéter, s'il te plaît ?

Ali se retourna et dit posément :

— Je dis : c'est des trucs de Français, ça.

Elle écarquilla les yeux.

— Comment ça, des trucs de Français ? On s'était mis d'accord là-dessus, toi et moi, tous seuls, comme des grands. à cette table même. (Elle fit un geste de la main.) Il n'y avait que toi et moi, il n'y avait pas la France, y avait pas... le général de Gaulle ou Brigitte Bardot... ou...

Qui diable symbolisait la France aujourd'hui ?

Ali renifla.

— Ouais, n'empêche que c'est des trucs de Français. Mon père et ma mère, ils n'avaient pas ce genre d'accord. Ma mère faisait la cuisine, point. Et en plus, elle aimait ça.

Malika riposta, irritée :

— Tu lui as demandé ? Tu lui as demandé, un jour, si ça lui faisait plaisir de faire la cuisine matin, midi et soir ?

Quelques secondes passèrent avant qu'il ne répondît :

— Non, mais c'était évident.

— Ouais... C'était évident... Comme pour l'âne qui fait tourner la noria, toute la journée, les yeux bandés.

Elle traça un cercle en l'air, avec l'index.

— Tant qu'on ne lui pose pas la question, on peut supposer qu'il aime ça.

Ali renifla de nouveau. Il murmura :

— Tu compares ma mère à un âne ?

Malika se leva et fit quelques pas dans la pièce.

— Je ne vais même pas répondre à cette... cette provocation. Pffff...

Elle se tut un instant. Puis :

— Et ton père, il n'entrait jamais dans la cuisine ?

Ali réfléchit un instant puis il bougonna.

— Ça lui arrivait.

Elle eut soudain une inspiration.

— Ôte-moi d'un doute : il faisait une *dal'a* au safran, les jours de fête ?

— Exactement.

— Ah, je vois.

— Tu vois quoi ?

Il n'avait pas changé de ton : bougon, râleur... Qu'est-ce qui lui arrivait ? « *Il s'est levé du pied gauche.* Et c'est à moi de payer les pots cassés ? Pourquoi ? Je suis coupable de quoi ? » Elle aspira profondément puis répondit sur un ton où commençait à percer l'irritation :

— Rien... Mais puisque tu as des trous de mémoire, laisse-moi te la rafraîchir, ta mémoire. Le jour où tu m'as proposé de vivre avec toi, je t'ai prévenu que j'étais nulle en cuisine. Tu te souviens ? Je t'ai dit : « Je ne suis pas le genre "fée du logis" qui prépare des petits plats à son mari quand il rentre du boulot... » Et qu'est-ce que tu m'avais répondu ?

Elle ne put s'empêcher de parodier son léger accent.

— « Je suis Parisien maintenant, en France les grands chefs sont tous des hommes, c'est moi qui ferai la cuisine, etc. »

Elle reprit un ton normal. *Il faut que je me calme.*

— Bon, j'ai pris sur moi, j'ai appris à faire la cuisine et même à *aimer* la faire, et on a passé notre petit « accord », comme tu dis : mardi, jeudi, dimanche, c'est toi qui fais la cuisine, les autres jours, c'est moi. Qu'est-ce qui a changé ? Tu es trop fatigué, aujourd'hui ? Pourtant, tu ne fais rien, à part sortir faire des courses ou acheter le journal, tu es juste assis sur ce sofa toute la journée.

Ali murmura, amer :

— Je suis un parasite, quoi.

Malika regrettait déjà ses derniers mots.

— Excuse-moi, je ne voulais pas te blesser… mais bon, si tu veux, je ferai la cuisine aujourd'hui, on peut intervertir, tu la feras demain. Ce n'est pas grave. Qu'est-ce que tu as fait comme courses ?

Ali ne répondit rien. Puis :

— Et si je n'ai pas envie de faire la cuisine demain ?

Malika alla s'asseoir sur la chaise et le regarda, inquiète.

— Ali, ça ne va pas… Je crois que tu es en train de faire une dépression.

Elle hésita, se mordillant les lèvres. Puis elle se lança.

— Tu devrais aller voir ton médecin. Ou un psy… un psychothérapeute.

Ali ne réagit pas tout de suite. Il resta parfaitement immobile, comme si rien n'avait été dit, ou comme s'il n'avait pas compris la dernière phrase prononcée par Malika. Puis il tourna la tête et se mit à parler d'une voix sourde où une colère froide semblait se mêler à quelque chose qui ressemblait à de la dérision ou du mépris.

— Un psy… Ah voilà ! Dès qu'on n'est plus dans le moule, on est fou ! Il n'y a que deux possibilités : soit on est Français, soit on est fou !

Malika baissa la tête, accablée.

— Mais qui te parle de folie ? La dépression, ça n'a rien à voir ! Rien ! C'est juste une maladie, c'est comme quand on a une bronchite…

Ali n'écoutait pas, il s'était levé et faisait les cent pas tout en continuant de parler de cette voix sourde et grave qui commençait à faire peur à Malika.

— Moi, je te parle de mon père et de ma mère, de nos traditions… et toi, tu veux me mettre à l'asile ?

Malika sursauta.

— Alors là, c'est grotesque.

— Je suis grotesque ?

— Franchement, là, en ce moment, oui.

Ali se mit à compter sur ses doigts, d'un geste lent :

— Un, je suis un parasite, deux, je suis fou et trois, je suis grotesque ?

Malika, excédée, haussa la voix.

— Oui, et en plus tu as tué Kennedy et tu as vendu du plutonium à l'Iran… Si tu veux, je peux t'accompagner dans ta paranoïa. On peut aller très loin.

— C'est le comble ! Tu me traites de paranoïaque ?

Malika soupira.

— Bon, on arrête cette conversation débile ou alors je prends mon manteau et je vais passer la nuit chez Claire.

Ali alla se rasseoir sur le sofa. Il murmura quelque chose d'indistinct en arabe :

— *... wach hna houma hna...*

Malika alla se planter devant lui.

— Qu'est-ce que tu dis ? Tu sais bien que je n'aime pas ça, quand tu marmonnes dans ta barbe en arabe. Si tu as quelque chose à dire…

— Ma barbe ?

— Qu'est-ce que tu marmonnais, là ?
— J'ai dit : « Il faut savoir qui on est. »
— C'est quoi, ça ? Le proverbe du jour ?
Ali inspira profondément.
— Tu ne comprends pas ?
Il se mit à parler en essayant d'imiter Malika, en « flûtant » exagérément sa voix et en détachant les syllabes.
— « … notre petit accord : mardi, jeudi, dimanche, c'est toi qui fais la cuisine, les autres jours, c'est moi. » C'est quoi, ça ? C'est un truc de Français, genre « on est un couple moderne »… Et ça m'a mené où, d'être plus français que les Français ? Je me suis fait virer en tant qu'Arabe… en tant que Maghrébin…
Malika rectifia doucement :
— Tu ne t'es pas fait virer, tu as démissionné.
Ali cria :
— C'est la même chose !
— Admettons. Mais qu'est-ce que ça a à voir avec nos… nos arrangements ?… avec qui fait la cuisine aujourd'hui ou demain ? Et ne crie pas, s'il te plaît.
— Ça a *tout* à voir ! Je me fais virer en tant qu'Arabe et je vais continuer à vivre en Français ? à faire la cuisine lundi, mercredi, vendredi ? Comme un petit caniche ?
Malika, atterrée, murmura :
— Parce que les caniches font la cuisine ? C'est n'importe quoi !
Ali haussa de nouveau la voix.
— Tu sais parfaitement ce que je veux dire. Je me fais virer en tant qu'Arabe et je continue à vivre en Français, c'est ça, le *deal* ? Et en plus, je dois dire merci ?

Ce fut au tour de Malika d'élever la voix :

— Mais c'est idiot ! Tu confonds tout ! Ça n'a rien à voir !

Ali se mit de nouveau à compter sur ses doigts :

— Parasite, grotesque, parano… et maintenant idiot. Le compte est bon ! N'en jetez plus, *comme ils disent.*

Malika resta un instant immobile, puis elle secoua la tête et alla mettre son manteau.

— Bon, allez, c'est une soirée foutue, ça ne peut que s'aggraver, on va finir par se dire des trucs qu'on ne pourra plus rattraper. Je vais passer la nuit chez Claire, le temps que tu te calmes. On parlera demain.

Ali fit un petit geste méprisant de la main, comme s'il la congédiait.

— C'est ça, va chez ta… ta petite chérie…

Malika revint se poster devant lui.

— Ma quoi ?

Elle le défiait du regard. Ali haussa les épaules et se remit à regarder ostensiblement la télévision.

La porte d'entrée claqua. Cette fois-ci, elle dévala l'escalier, au risque de tomber, sortit en courant de la résidence et ne se calma que lorsqu'elle se retrouva de nouveau dans la rue des Couronnes. Au croisement, elle tourna à droite, courut jusqu'au métro Belleville. Elle alluma son portable et appela Claire pour lui dire qu'elle passait la voir, que c'était important.

— Mais oui, viens, pas de souci !

Elle descendit les marches du métro, s'arrêta devant les portiques, puis remonta : elle avait envie de marcher. Elle s'engagea d'un pas rapide dans la rue du Faubourg-du-Temple, qui grouillait de passants. En traversant la rue Saint-Maur, elle s'aperçut qu'elle pleurait. Elle continua à marcher en reniflant à petits coups, tourna à droite sur le boulevard Parmentier, puis à gauche rue Alibert. Elle arriva enfin rue Marie-et-Louise devant l'immeuble où vivait Claire. Elle sonna à l'interphone. Claire actionna le mécanisme qui ouvrait la porte.

Elle attendait Malika sur le palier. Celle-ci lui tomba dans les bras, l'embrassa et murmura :

— Je peux passer la nuit chez toi ?

— Oui, bien sûr.

Elle eut le tact de ne poser aucune question.

25

Qu'est-ce que ça veut dire, trop libre ?

Le lendemain, après un rapide petit déjeuner avec Claire, Malika alla directement à l'école. En fin d'après-midi, elle fit quelques courses au Franprix puis remonta la rue des Couronnes. Elle grimpa lentement les quatre étages et utilisa sa clé pour entrer, sans sonner au préalable, n'ayant aucune envie de voir la porte s'ouvrir sur le visage maussade d'Ali.

Il se trouvait dans la petite pièce qui servait de bibliothèque. La porte en était entrebâillée. Elle alla sur la pointe des pieds y jeter un coup d'œil pour s'assurer que tout allait bien. Leurs regards se croisèrent mais ils ne se dirent rien.

Elle revint vers la cuisine en pensant :

— Moi aussi, je suis fière. J'ai du *nif*… C'est toujours moi qui fais le premier pas, ne compte pas là-dessus cette fois-ci.

Elle dîna sur le pouce, juchée sur un escabeau, puis alla regarder la télévision en mettant le casque.

Du coin de l'œil, elle vit Ali aller et venir dans l'appartement. Quand elle se décida enfin à aller dormir, il était déjà étendu dans le lit. Elle alluma la veilleuse et fit bien attention à ne pas toucher son corps. Elle lut quelques pages de Murakami puis éteignit la lumière et s'endormit très vite.

Le lendemain, elle se réveilla en silence, prit une douche rapide, renonça au petit déjeuner et sortit. Elle prendrait un café à l'école.

*
* *

L'interphone sonna. Claire alla appuyer sur le petit bouton.

— Oui, qui c'est ?

C'était la fin de l'après-midi, elle venait de rentrer et n'attendait personne. Elle entendit une sorte de marmonnement surnageant au-dessus de la rumeur de la rue. Impossible d'y reconnaître un nom ou un prénom, ça avait plutôt tinté comme une plainte ou un reproche. Drôle de façon de se présenter… C'était peut-être une erreur, quelqu'un qui s'était trompé d'étage ? Elle répéta :

— Qui c'est ?

Cette fois, la voix se fit plus distincte :

— Ali.

Ali ?

La voix ajouta, toujours dans les tons mornes :

— Le… le *grrrmmbl* de Malika.

Qu'est-ce qu'il veut ? Qu'est-ce qui se passe ? Son cœur se mit à battre un peu plus fort. Était-il arrivé quelque chose à Malika ?

Quelques instants plus tard, la sonnerie de la porte retentit. Claire alla ouvrir. Ali se tenait droit sur le palier et la regardait sans esquisser le moindre geste.

— Bonjour ! lança-t-elle, s'efforçant à la cordialité bien qu'elle fût inquiète.

Aucune réaction.

Claire, étonnée et vaguement mal à l'aise – *Mais qu'est-ce qu'il veut ?* – lui fit signe d'entrer, mais l'autre ne bougeait toujours pas.

— Il y a quelque chose ? Malika va bien ? Il y a un problème ?

— Pourquoi y aurait-il un problème ?

— C'est que tu n'es jamais venu chez moi… C'est la première fois, non ?

— Je ne savais pas où tu habitais. Je le sais maintenant. Ton adresse est dans l'agenda de Malika.

Claire fut tentée de lui demander s'il avait fouillé dans les affaires de son amie mais elle se retint.

— Eh bien, entre !

Il ne bougea pas. *On dirait un film*, se dit-elle.

— Tu ne veux pas entrer ? Bon… Tu voulais me dire quelque chose ?

L'autre murmura.

— Oui.

— Quoi ? Qu'est-ce que tu voulais…

Elle laissa la phrase en suspens. Ali s'éclaircit la gorge.

— Hmmm. Écoute, Claire, je voudrais que tu cesses… que tu arrêtes de voir Malika.

Oui, cette fois, c'est sûr, je suis dans un film. Ou dans un épisode d'une série... Abasourdie, elle mit quelques secondes avant de répliquer.

— Pardon ?

— Je préfère que tu ne voies plus Malika.

C'est ridicule, cette saynète sur le palier. Elle essaya de déglutir, n'y parvint qu'à moitié, et cela déforma légèrement sa voix.

— Mais… pourquoi ?

Je parle bizarrement.

Ali s'avança un peu. Ce fut presque imperceptible mais cela suffit pour que son visage, qui avait accroché un rai de lumière, se détachât plus nettement sur le fond sombre du palier. Elle eut l'impression qu'il avait légèrement changé de position, comme s'il avait écarté les jambes pour mieux affermir son assiette. Est-ce qu'il essayait de l'intimider ?

Elle ne recula pas. Leurs visages étaient maintenant tout proches. Il reprit, lentement, en détachant chaque mot.

— Je crois que tu as une mauvaise influence sur elle.

Claire, interloquée, mit quelques secondes avant de répondre :

— Quoi ? Attends… Tu te rends compte de ce que tu es en train de me dire ?

Ali, toujours planté à quelques centimètres de son visage, cracha :

— C'est comme ça !

Elle sentit la colère monter en elle. *Qu'est-ce que c'est que cette histoire ?*

— Mais, attends… Je ne te permets pas ! Qu'est-ce que ça veut dire, « mauvaise influence » ?

L'autre gardait le même ton, dur, incisif.

— Ça veut dire que… tu es trop française… tu es trop libre !

Claire passa de la colère à l'ébahissement.

— Je rêve… C'est quoi, ce… Allô ? On est à Paris, non ? Je n'ai pas le droit d'être française à Paris ?

— Tu fais ce que tu veux. Mais Malika, tu la laisses tranquille.

Claire s'était ressaisie.

— Et d'abord, qu'est-ce que ça veut dire, *trop* libre ? C'est quoi, l'alternative ? Libre avec modération ? Un petit peu libre ? Ou carrément enchaînée ? Enburkanée ? Esclave ?

Pourquoi je discute avec ce type sur mon palier ?

— Dis donc, l'émancipation des femmes, elle a déjà eu lieu : au siècle dernier. Dans quel siècle tu vis, toi ?

Ali ne répondit pas tout de suite. Sa mâchoire se crispait par moments. Il finit par murmurer :

— Je répète : tu fais ce que tu veux. Mais tu laisses Malika tranquille !

Elle cria presque :

— Tu lui as demandé son avis ?

Il haussa également la voix :

— Je n'ai pas besoin de lui demander son avis. C'est pour son bien.

Claire était maintenant excédée. Ce fut elle qui avança son visage jusqu'à presque toucher celui de l'homme planté devant sa porte – et ce fut lui qui recula légèrement.

— Ça, c'est le pompon : tu n'as pas « besoin de lui demander son avis » ? Je rêve ! Mais t'es complètement con, en fait ?! « C'est pour son bien. » L'Inquisition, c'était aussi pour le bien des gens qu'elle les brûlait vifs.

Ali leva la main, comme s'il soulevait un point d'ordre. Sa voix était étrangement neutre, presque froide, comme s'il voulait s'assurer d'un détail avant de reprendre la confrontation.

— Pourquoi tu parles de l'Inquisition ? Parce que c'était des catholiques contre des musulmans ?

Claire posa la main sur la porte. *Je devrais la lui claquer au nez. Là, tout de suite.*

— Écoute, Ali, on va arrêter le massacre. Franchement, tu commences à m'énerver. Je ne comprends même pas ce que tu racontes. Quand tu auras des trucs concrets à me dire, tu pourras me rappeler. Ou m'envoyer un pigeon voyageur…

Elle fit un geste de la main, une main qui sembla planer pendant quelques instants devant les yeux de l'autre

— … tu sais ce que c'est, un pigeon voyageur ?… si tu ne veux pas vivre au XXe siècle.

Ali se rapprocha de nouveau de Claire.

— Tu veux du concret ? En voilà : c'est bien toi qui as dit à Malika que c'était à cause de Brahim que je m'étais fait virer ?

Claire eut l'air étonnée.

— Comment ça, tu t'es fait virer ? Tu veux dire : tu as démissionné. Ce n'est pas la même chose.

— Arrête de jouer sur les mots. Dis-moi plutôt pourquoi tu as dit à Malika que c'était à cause de Brahim…

Ce fut au tour de Claire de lever la main comme si elle voulait s'informer d'un point de procédure.

— Attends, attends : c'est qui, Brahim, d'abord ?

L'autre renifla, l'air mauvais.

— Tu ne connais pas Brahim ? Mon cousin ?

— Non, je n'ai pas l'honneur et l'avantage de connaître *Brahmin*…

— Brahim.

Elle se reprit :

— Bra-him… Inconnu au bataillon !

— Malika ne t'a jamais parlé de mon cousin ?

Elle commençait à en avoir assez.

— Non. Ni de ton cousin, ni de ta grand-mère, ni du petit dernier qui a des boutons. On arrête là cette discussion ?

— Mais alors, de quoi vous parlez, toutes les deux ?

Claire éclata d'un petit rire nerveux.

— Attends, tu es sérieux ?

Il resta impassible. Elle continua :

— De quoi on parle, toutes les deux ? Parce qu'à part ton estimable parentèle, il n'y a pas de sujet de conversation sur la planète ? En tout cas, Malika ne m'a jamais parlé de ton cousin Brahma… Machin-Chose. Et maintenant, j'arrête, avant que tu ne commences à me bassiner avec ta grand-mère andalouse et ton oncle d'Amérique. J'ai des trucs de *femme trop libre* à faire avant midi. Bien le bonjour à toute la smala.

Elle poussa la porte fermement, s'attendant à une résistance de sa part – *il va mettre le pied dans l'encoignure...* – mais il n'essaya pas de l'en empêcher. Quelques instants après, elle regarda par le judas. Il n'y avait plus personne sur le palier. Elle alla inspecter la rue, par la fenêtre. Ali s'éloignait à petits pas, légèrement voûté. Elle fut frappée par l'impression de tristesse que sa démarche de petit vieux dégageait, alors qu'il avait à peine la trentaine et qu'il lui avait toujours paru plein de force et d'optimisme. Toute sa colère retomba, ne restait que la perplexité.

Elle prit son téléphone et composa le numéro de Malika.

26

Le premier savant de l'Histoire

Ali marchait avenue Voltaire, tête baissée, ne s'arrêtant qu'aux feux rouges, sans regarder autour de lui. Il se sentait violemment étranger dans ce quartier dont il connaissait pourtant tous les recoins, les cafés, les devantures. Aujourd'hui les façades lui étaient hostiles, elles abritaient des gens qui ne lui ressemblaient pas, qui ne lui faisaient pas confiance. Chacune d'elles lui signifiait qu'il devait *passer son chemin*.

Pourtant, il avait cru trouver ici une patrie, précisément dans cet entrelacs de rues qui joignait les deux arrondissements, le XIe et le XXe.

Il faut que je parle à quelqu'un.

Tout en marchant, il appela Hamid, eut un bref échange avec lui, puis continua jusqu'à la rue des Boulets, hésita un instant, puis sonna.

... que je parle à quelqu'un. Quelqu'un qui puisse me comprendre.

Cela faisait longtemps qu'il ne l'avait vu. Hamid, rencontré à une conférence à l'IMA, avait été, en quelque sorte, son mentor quand il s'était installé à Paris. C'était un « intellectuel », sociologue ou historien, ou les deux, Ali n'avait jamais très bien compris, qui était maître de conférences à Paris-VIII. Érudit, polyglotte, le professeur, qui avait grandi à El Jadida, était devenu un Parisien aussi passionné par l'Histoire de France que par celle de son pays natal.

Il l'attendait sur le palier, au troisième étage, goguenard.

— Tu passes à la marocaine, sans prendre rendez-vous dix jours à l'avance ? Tu ne t'es pas civilisé ? Ça fait pourtant longtemps que tu habites à Paris…

— Une chance sur deux que tu soies à la maison, répliqua Ali en entrant.

Il alla s'asseoir à côté de la fenêtre. Hamid avait fermé la porte et était maintenant dans la cuisine. Il cria :

— Café ?

— Oui. Merci.

Quelques instants plus tard, Hamid revint avec la cafetière. Il remplit deux tasses et en tendit une à Ali en le regardant avec attention. Puis il lui demanda avec une bienveillance manifeste :

— Qu'est-ce qui se passe ?

Ali avala une gorgée de café puis baissa la tête et murmura :

— Je ne sais pas. Ça ne va pas très bien, en ce moment. J'ai… j'ai l'impression d'être devenu *étranger*… enfin, de plus en plus… Je ne sais pas comment dire.

— Mais tu *es* étranger, ici ! C'est un fait, c'est indéniable. Moi aussi, d'ailleurs. On n'est pas les enfants de la mère Michu. Ça n'empêche pas de vivre. *Il faut imaginer l'étranger heureux…*

— Oui, mais je ne l'ai jamais autant ressenti… Je n'ai jamais éprouvé un sentiment aussi fort…

Hamid hocha la tête.

— Voici une question cruciale : *quand* est-on vraiment étranger dans un pays ?

Ali le regarda sans répondre, l'air interrogateur.

— Eh bien, continua Hamid, c'est quand on ne fait pas partie du *récit national.*

— C'est quoi, le récit national ?

Le professeur se tut un instant, puis il reprit :

— Tu sais qu'il y a eu, il y a quelques mois, un colloque d'historiens à la Sorbonne organisé par notre chère Najat, la ministre ? Ils devaient réfléchir à la question suivante : « L'Histoire est-elle une science sociale, un récit ou un roman national ? » Intéressant, non ?

— Je ne sais pas. Je ne te suis pas. Je suis assez fatigué, en fait.

— Le roman national, pour résumer, c'est Ernest Lavisse… Tu vois qui c'est ?

— Vaguement. Je connais le nom.

— Lavisse a écrit une sorte de roman, avec des milliers de personnages mais dont « la France » est le véritable protagoniste, des Gaulois à la République, en passant par l'Ancien Régime… Saint-Louis, Henri IV, Richelieu, Louis XIV, hein, tu vois ce que je veux dire ?

Il alla farfouiller dans sa bibliothèque, en revint avec deux livres posés l'un sur l'autre dans sa main gauche et qu'il ouvrit tous les deux, en même temps, de la main droite, comme s'il faisait un numéro d'équilibriste au milieu de son salon. Les deux tomes étaient entrelardés de post-it multicolores.

— Écoute ça, c'est du Lavisse : « Retenez bien le nom de Vercingétorix, qui a combattu pour défendre sa patrie. » C'est ainsi que Vercingétorix est, comment dire… *institué* personnage essentiel du roman.

Il tourna quelques pages.

— « La France a le droit d'être fière de ses conquêtes […] Les Français ont créé en Algérie des écoles où les petits Arabes sont instruits avec les petits Français. » Là, c'est Lavisse qui justifie le colonialisme.

Le numéro d'équilibriste continua, les doigts de Hamid voletant de post-it en post-it.

— « Tu dois aimer la France, parce que la Nature l'a faite belle, et parce que l'Histoire l'a faite grande. » Jolie formule… Il a raison, d'ailleurs, le bougre : la France est l'un des plus beaux pays du monde et son Histoire, ce n'est pas rien. Les Lumières, la Révolution, la Déclaration des droits de l'homme et du citoyen, quand même…

Hamid posa les deux livres sur le canapé et se jucha de nouveau, à califourchon, sur sa chaise.

— Il y a donc un roman national, écrit par Lavisse ou par un autre, peu importe, et la question est de savoir si tu t'y reconnais ou non. Si la réponse est non, alors tu es un étranger.

Ali restait silencieux. Hamid continua.

— De toute façon, pour toi et moi, tout cela n'a pas trop d'importance. On peut se rattacher à un autre roman national. Le vrai problème, ce sont les p'tits gars de banlieue, les petits Rachid, Mamadou et Fatima qui sont nés et ont grandi ici… Ils n'ont pas le choix, eux. S'ils ne se reconnaissent pas dans le roman national, ils sont où ? Ils sont qui ?

Un large sourire éclaira sa face.

— Tu me diras qu'il y a le foot… Comment on disait, en 1998 ? « Black, Blanc, Beur »… La France championne du monde, c'est Vercingétorix et Napoléon qui continuent, droit au but !… et tous les p'tits gars de banlieue peuvent y croire. On n'est plus dans le roman mais dans la *bande dessinée nationale*…

Ali esquissa un sourire triste, une sorte de rictus, pour ne pas vexer Hamid qui adorait faire des jeux de mots – avec plus ou moins de bonheur…

Le professeur avait retrouvé son sérieux. Il avala une gorgée de café et se leva de nouveau. Planté devant une fenêtre, il regardait la rue s'agiter, au-dessous de lui, tout en lissant sa barbe et en faisant une sorte de moue. Il reprit le fil de son exposé – Ali avait l'impression d'assister à un cours magistral.

— J'ai lu quelque part une déclaration récente de Chevènement…

— Tu l'aimes bien, toi, ce type, interrompit Ali. Tu en parles souvent.

— Bah… il a des convictions et il est cultivé. C'est plutôt rare, en politique… Donc Chevènement a dit quelque chose comme : « Il peut et il doit y avoir un récit national *objectif* (Hamid avait souligné le mot en levant l'index) qui rende compte de l'Histoire de notre peuple et lui donne envie de la continuer… », attends, comment il avait fini ?… ah, oui : « en préservant dans les nouvelles générations une… une raisonnable estime de soi ».

— C'est incroyable comment tu arrives à retenir des phrases entières…

— C'est mon métier, la mémoire. Mais revenons à Chevènement. Il y a ce morceau de phrase : « et lui donne envie de la continuer ». Ça vient d'où, ça ?

— Je ne sais pas. Tu vas me mettre une note ? Sur 20 ?

Hamid sourit.

— Non, je ne suis pas à la fac. Mais retiens quand même qu'en utilisant le verbe « continuer », Chevènement fait une claire allusion à Ernest Renan.

Il fila de nouveau chercher un petit livre dans sa bibliothèque :

— Pour deux euros, on le trouve partout, maintenant, même dans les kiosques de gare… Regarde : *Qu'est-ce qu'une nation ?*, de Renan. La nation à la française : on oublie quelques vilenies du passé, on se construit un roman avec les faits les plus glorieux des deux mille dernières années et puis on décide qu'on a envie de *continuer* ensemble. C'est une sorte de référendum quotidien. Chacun, quelles que soient ses origines, peut prendre le train en marche.

Il ajouta en chantonnant :

— *Et tout cela fait d'excellents Français.*

Ali se leva d'une seule détente.

— Merci pour le café.

Hamid eut l'air surpris.

— Tu t'en vas déjà ?

— Tu m'excuseras, tout ce que tu dis est intéressant mais je n'arrive pas à me concentrer.

— Reste encore un instant, je vais te finir mon… mon exposé, parce que ce qui arrive maintenant, ce qui suit, est crucial. Je suis en train d'écrire un article là-dessus. Ça m'intéresse d'avoir ton point de vue.

Ali hésita un instant puis se rassit.

— Je te ressers du café ?

— Oui, merci.

— Donc, ce qui est en train de changer, c'est ça : *il ne peut plus y avoir un roman national à l'ancienne, à la Lavisse.* Pourquoi ? C'est simple : Internet et les télés satellitaires ! Ce sont d'autres romans nationaux qui circulent là-dedans. Imagine que tu sois français mais que tes parents viennent d'ailleurs, du Maroc ou d'Algérie par exemple. On te raconte le fameux roman national à l'école mais, chez toi, la télé est branchée en permanence sur des chaînes en arabe, du Qatar, d'Égypte ou du Maroc. Tu apprends quoi, à l'école, pour ce qui est de l'histoire des idées ? Ça commence au siècle de Périclès, il y a eu le miracle grec, Platon et Aristote, puis un millénaire d'abrutissement général, le Moyen-Âge, puis un autre miracle : la Renaissance, et on te parle de François Ier, l'ami des lettre et des arts, etc.

Il s'interrompit, comme pour créer un suspense, fit quelques pas dans le salon, puis se retourna, le doigt levé, et cria :

— Minute ! Que te disent les chaînes arabes ? Le fameux millénaire d'abrutissement général, ce n'était qu'en Europe ! *A contrario*, ce furent les Lumières de Bagdad à Cordoue ! La pensée philosophique, la science, les techniques, c'est là qu'elles se développaient ! Ce fut prodigieux !

Un temps.

— On se dispute sur le point de savoir quelle est la plus ancienne université du monde. Bologne, créée en 1088 ? Paris, au XIIe siècle ? Oxford ? Que te dit la télé marocaine ? Que l'université de Fez fut fondée en l'an 859, et par une femme en plus ! Fatima el-Fihriyya… Tu connais ?

— J'en ai entendu parler.

— Tu vas au cours de sciences naturelles, on te dit que Harvey à découvert la circulation du sang au début du XVIIe siècle. Tu regardes un documentaire sur Al-Jazira et tu apprends que le Syrien Ibn el-Nâfis avait postulé, au XIIIe siècle, la circulation sanguine en se basant sur des dissections de cœur d'animaux. Tu te précipites sur Internet, la chose s'y étale, noir sur blanc, avec une superbe reproduction du manuscrit *Ash-shâmil fi t-tibb* d'Ibn Nâfis, qu'on peut consulter à Damas.

— Mais Harvey n'était pas français, non ? Ce n'est pas le roman national…

— Si, si, le roman national est maintenant, comment dire… *enchâssé* dans un roman européen.

Hamid fronça les sourcils comme s'il faisait un effort pour se remémorer quelque chose.

— Tu retournes au lycée, on te parle de l'invention de l'anesthésie par Crawford Long, au XIXe siècle. Mais que t'apprend ce documentaire regardé sur Al-Jazira ? Zahrawi et Ibn Zuhr, dans l'Espagne musulmane, ont procédé à des centaines d'opérations chirurgicales avec anesthésie six siècles avant Crawford Long !

— Ah oui ? Et ils faisaient ça comment ?

— Avec une éponge plongée dans un liquide qui contenait, entre autres, du cannabis… C'est de chez nous, ça, ça pousse dans le Rif.

Les deux amis se sourirent.

— Ils mettaient du cannabis et d'autres molécules, on ne sait pas trop lesquelles, mais le fait est là : on opérait sous anesthésie, en Andalousie, il y a des siècles ! Qui le sait ?

Il avait pointé un index accusateur sur la fenêtre, comme s'il s'en prenait au monde entier.

— Et ça continue ! Isaac Newton « découvre » au XVIIe siècle que la lumière blanche se compose de toutes les couleurs de l'arc-en-ciel.... et quelque mois après, tu apprends qu'Ibn el-Haytham l'avait expliqué au XIe siècle... Al-Arabia ou Al-Jazira ou je ne sais trop quelle chaîne te démontre, documents à l'appui, que ce Haytham, né à Bassora, en Irak, peut être considéré comme le premier savant, au sens de « vrai » scientifique, de l'Histoire. Le bonhomme était physicien, ingénieur, astronome... Le principe d'inertie, fondamental en physique, c'est lui qui l'énonce le premier. Quoi ? Mais on nous avait dit que c'était Galilée et Newton ! Est-ce qu'on nous ment ?

Il jouait l'indignation de façon très convaincante.

— À propos de Newton, Ibn el-Haytham évoque quelque part l'attraction des masses... *Say no more.*

— C'est incroyable, ce que tu me dis. Je ne savais pas tout ça et pourtant j'ai fait des études scientifiques.

— Imagine alors le p'tit gars de Flins ou de Bondy à qui on fait croire que ces ancêtres étaient des ignares, des sauvages, et qui, un jour, découvre tout ça. y a de quoi s'énerver !

— C'est vrai.

— Al-Jazira, qui en a les moyens (y a les picaillons du Qatar dans l'affaire...), reconstitue la chambre noire inventée par Ibn el-Haytham... La chambre noire ? *Camera obscura ?* Tu en avais entendu parler mais jamais en relation avec un « Ibn quelque chose » qui doit sans doute ressembler à ton grand-père... Tu te précipites sur Internet et tu lis, avec ravissement, avec effarement : « On attribue l'invention de la *camera obscura* à Ibn el-Haytham (965-1039), scientifique arabe, père de l'optique moderne, d'après son *Traité d'optique.* » Bon sang ! Et on ne t'en parle pas au collège Jacques-Prévert, on ne t'en a jamais pipé mot au lycée Georges-Brassens !

Ses yeux brillaient.

— Tu te souviens de ton prof de math expliquant que l'usage des décimales avait été introduit à la fin du XVIe siècle par le flamand Simon Stevin. Merci Simon ! Un authentique génie, Descartes lui doit beaucoup… Mais… mais un soir, alors que tu regardes un documentaire en arabe avec des sous-titres anglais – ça aide… – voilà que tu apprends que cela faisait près de deux siècles, au moment de l'« invention » de Stevin, que les mathématiciens arabes utilisaient les décimales ! Ils le faisaient depuis qu'un certain el-Kashi avait publié sa *Clé du calcul*… Incidemment, tu apprends que le bonhomme avait calculé π avec une telle précision que la valeur qu'il avait trouvée suffirait encore aujourd'hui à 99,99 % pour tous les calculs qu'on fait sur Terre…

— Incroyable !

— À peine remis de tes émotions, et puisqu'on a évoqué Stevin et Descartes, tu te demandes si celui-ci… Non, pas Descartes, quand même ? Le grand, l'unique… Hélas, Al-Jazira est sans pitié. Un jour de pluie, tu te farcis un autre documentaire et tu apprends un nouveau nom : Thabit ibn Qurra. En suivant le fil du documentaire, ta mâchoire commence à, comment dire… à choir. D'étonnement ! Tu te souviens de ce qu'on t'avait appris, dans ta jeunesse folle : « Au XVIIe siècle, Descartes établit qu'on pouvait utiliser l'algèbre pour résoudre les problèmes de géométrie. Progrès fondamental… » Hé, hé… les fameuses « coordonnées cartésiennes »… Tu te souviens ?

— Et comment !

— Mais il y a un hic : le dénommé Thabit ibn Qurra, un nom a emmener au poste… Vos papiers ! *Thabit or not Thabit*… eh bien l'ami Thabit qui, soit dit en passant, était arabe mais pas du tout musulman : il était sabéen…

— C'est quoi, ça ?

— Une religion bizarre… Ce sera pour une autre fois. Donc Thabit, au IXe siècle, dans sa bonne ville de Bagdad, réduisait tranquillement des problèmes géométriques à des formules d'algèbre… La chose n'échappe pas à un certain Aboul-Ouafa (non, ce n'est pas une insulte du capitaine Haddock…) qui se met, lui aussi, à réduire la géométrie à l'algèbre. Ça n'enlève rien aux mérites immenses de Descartes – mais enfin, si on parlait un peu de tous ces pèlerins, avec leurs noms à coucher dehors, dans les lycées de la République, peut-être que ça aiderait un peu à créer un roman qui ne serait plus, pour le coup, seulement national, mais qui s'étendrait à toute l'humanité, toute l'espèce humaine, ou alors un roman qui serait national dans un sens beaucoup plus généreux, plus… *inclusif.*

Hamid allait et venait dans le salon, exalté, parfois souriant et blagueur, le plus souvent intensément concentré, essayant de retrouver dans tous les coins de sa mémoire les noms, les dates. Il ne s'aperçut pas que ce qu'il disait plongeait Ali, petit à petit, dans une profonde mélancolie.

Lui continuait, infatigable :

— Les chiffres négatifs, si importants pour l'arithmétique ? On nous avait dit : Geronimo Cardano, le fameux Cardan, les a introduits au milieu du XVIe siècle… Tu parles ! Je découvre un jour, dans un livre de Roshdi Rashed, que les mathématiciens arabes les utilisaient quatre siècles avant Cardan !

Il s'interrompit un instant pour fourrager dans sa barbe, les yeux au plafond, l'air de chercher d'autres arguments.

— La chimie moderne ? C'est l'unanimité dans le récit européen : Robert Boyle l'invente au XVIIe siècle avec son livre… Attends, je l'ai quelque part…

Il alla papillonner du côté de la bibliothèque puis revint.

— Bon, je ne le trouve pas, c'est un fouillis ici… Peu importe. Donc, Robert Boyle… Ah oui, son bouquin s'appelle *The Sceptical Chymist*, avec un *y*. Bravo ! La chimie se détache de l'alchimie, elle devient scientifique, on fait des expériences, on en consigne les résultats, on fait des mesures précises… Très bien ! Sauf que sept siècles avant Boyle (oui : sept *siècles !*), Jabir Ibn Hayyân, ar-Razi, el-Biruni, el-Kindi et bien d'autres métèques faisaient exactement cela : des expériences, des mesures, de la chimie, quoi. Le premier chimiste de l'Histoire ? Aucun doute : c'est Jabir ibn Hayyân, natif du Khorasan ! Son *Kitab el-Kimiya* est connu dans tout le monde arabe. Qui le connaît ici ?

Il alla jeter un coup d'œil sur la rue des Boulets pour s'assurer que personne n'y était plongé dans la lecture du *Kitab el-Kimiya*, sous un lampadaire.

— Ils pourraient même le lire en latin, il a été traduit au Moyen Âge par un certain… ah, j'ai oublié le nom du bonhomme mais je me souviens du titre de la traduction : *Liber de compositione alchimiae*. Ça sonne bien, non ?

Ali sortit de sa léthargie pour murmurer :

— Il y a encore du café ?

— Je vais en refaire.

Hamid s'éloigna mais le cours n'en cessa pas pour autant. Il cria :

— Et je ne parle pas d'el-Biruni !

— C'est ça, murmura Ali, ne me parle pas d'el-Biruni.

Quelques instants plus tard, Hamid revint, s'exclamant :

— Mais j'y pense, il faut justement que je te parle d'el-Biruni ! Je viens de lire un bouquin formidable…

Il se précipita sur un petit tas de livres qui reposaient à même le sol. Il les dispersa sur le parquet puis en prit un, qu'il brandit comme un trophée.

— *Pathfinders : The Golden Age of Arabic Science*, par un certain Jim al-Khalili, un Irakien. Tu lis l'anglais ?

— Je me débrouille. Je suis quand même informaticien.

— Mouais. C'est quand même plus compliqué que *if-then-else*. Bon, je vais lire en te traduisant à peu près. Voilà ce que disait el-Biruni… Tu vois qui c'est ?

— Il y a une rue al-Biruni à Rabat.

— Il y en a dans toutes les capitales des pays arabes et sans doute aussi en Iran et en Turquie. Le bonhomme a calculé la circonférence exacte de la Terre au Xe siècle alors que la plupart des habitants de la planète ne savaient même pas qu'elle était ronde. Bref, voilà ce qu'il écrivait (je traduis) : « Les extrémistes religieux vont traiter la science *d'athée* et lui reprocher de… dévier, dérouter le peuple du droit chemin et ils vont faire cela pour que les gens restent dans leur état d'ignorance. Les extrémistes pourront ainsi dissimuler leur propre ignorance en détruisant la science… et les scientifiques. » Inouï, non ? Le gars a écrit ça il y a mille ans, mais on dirait qu'il parle des islamistes les plus bornés d'aujourd'hui !

Ali ne répondit rien. Il finit de boire sa tasse de café et se leva.

Hamid en était à la péroraison. Il avait lcs deux bras en l'air et les agitait comme un chef d'orchestre.

— Tu imagines comment les enfants d'immigrés se sentiraient si on leur apprenait officiellement, dans le cadre des programmes scolaires, tout cela ? Tu te souviens de la formule de Chevènement ? Il parlait d'*estime de soi*. Imagine l'estime de soi que pourraient ressentir le petit Khalid de Trappes ou la petite Naïma de Clichy si le roman national s'ouvrait à leurs ancêtres ?

Ali sortit de sa léthargie pour murmurer :

— Oui, je l'imagine. Mais ça n'empêcha pas…

Il s'interrompit. Non, il n'avait aucune envie de raconter ce qui s'était passé dans le bureau du directeur.

— Merci pour le café… et le cours d'Histoire. C'était passionnant.

— Passe quand tu veux, tu es ici *chez toi*.

La formule résonna douloureusement dans la tête d'Ali.

Il descendit lentement l'escalier et se dirigea vers le boulevard Voltaire. Il avait mal au crâne, l'érudition de Hamid l'avait étourdi… Tous ces faits, ces noms, ces dates… Est-ce qu'il savait tout ça, Voltaire ?

27

Il faut savoir qui on est

La fenêtre qui donnait sur la cour était à moitié ouverte. Le bruit des enfants qui jouaient au pied de l'immeuble venait se mêler à la musique que distillait dans l'appartement, *mezza voce*, France Musique. Malika et Claire étaient en train de bavarder, assises autour de la table de salle à manger. Entre les deux jeunes femmes se dressaient deux verres et une bouteille de vin blanc.

Malika soupira.

— Je commence vraiment à angoisser. Il est en train de changer… C'est incroyable, ce qu'il est en train de changer ! Une vraie métamorphose, ce n'est plus le même homme.

Claire réprima un sourire.

— Oh là là… Ça sonne dramatique : « Ce n'est plus le même homme. » Après, tu vas me sortir : « Il n'est plus que l'ombre de lui-même » ?

Malika n'était pas d'humeur à rire.

— Non, je t'assure, c'est vrai. Tu as tort de plaisanter.

Un peu honteuse, Claire prit un ton sérieux.

— C'est toujours à cause de cette histoire de contrat, à Toulouse ? Il ne s'en est jamais remis ? Dis donc, ça lui a fait un coup…

— Oui, et en plus, il y a l'influence de son cousin Brahim. Tu sais, Brahim, le musulman pratiquant, celui qui fait toutes ses prières, qui va à la mosquée…

Claire soupira.

— Pfff… Oui, je vois qui c'est. Il m'en a parlé, Ali, le jour où il est venu chez moi. Tu ne lui as toujours pas demandé le pourquoi du comment de cette visite bizarre ?

Malika secoua la tête.

— Tu sais, en ce moment… On s'est rabibochés, depuis le jour où il n'a plus voulu faire la cuisine, mais je n'ose pas aborder les sujets délicats.

— Tu devrais quand même lui demander des explications… Attends, ton mec débarque chez ta meilleure copine, il l'engueule sur son palier, il lui sort des trucs bizarres, et tu ne fais rien ? Ne me dis pas que tu as peur de lui !

— Non… Oui… Je ne sais pas !

Claire fronça les sourcils.

— Il m'a quand même sommée de ne plus te voir ! Sommée ! Il ne lui reste plus qu'à m'assommer… Et tu ne réagis pas, tu ne lui dis rien ?

— Ce n'est jamais le bon moment.

— Et en attendant, tu ne sais pas pourquoi il est venu me faire cette scène saugrenue ?

— Mais si, je sais. Je te l'ai dit : c'est l'influence de son cousin Brahim. Il essaie de le… je ne sais pas comment dire… de le *récupérer*.

Claire se versa un verre de vin.

— Marrant. Moi, ton mec, il m'a reproché *à moi* d'avoir une mauvaise influence sur toi. En somme, vous formez, toi et Ali, un « couple sous influence »… C'était qui, déjà, l'actrice ? *Une femme sous influence*... Ah oui : Gena Rowlands.

Elle fit semblant d'examiner son amie, lui relevant le menton de l'index puis lui tournant le visage de manière à l'avoir en profil.

— Tu sais que tu lui ressembles ?

Malika se dégagea, agacée.

— N'importe quoi ! La semaine dernière, tu me trouvais des ressemblances avec Sophia Loren… Dès qu'il y en a une qui n'a pas une tête de Viking, je lui ressemble ?

Claire se leva, se plaça derrière Malika et se mit à lui triturer le visage.

— Si, si. Regarde, tu mets tes cheveux comme ça, en arrière, tu lèves un sourcil, tu fais comme ça avec ta bouche… La Gena Rowlands marocaine !

Toujours debout derrière elle, Claire se pencha et enlaça Malika, joue contre joue. La porte de l'appartement s'ouvrit. Ali et Brahim entrèrent, l'un derrière l'autre. Surprises, Malika et Claire levèrent les yeux, sans bouger.

Brahim se tourna vers Ali.

— *Chouf, chouf... Machi h'chouma, had chy ? Ach kay dirou*[1] ?

Ali, glacial, s'adressa à Claire.

— Quand tu auras fini de tripoter ma femme…

Claire se redressa et s'assit de nouveau, en face de Malika.

— On se calme. Je lui faisais juste une tête de Gena Rowlands, à ta « femme ».

---

1. « Regarde, regarde… C'est pas la honte, ça ? Qu'est-ce qu'elles font ? »

Elle avait prononcé *fâââme*.

— Gena ? Gena qui ?

— Rowlands. Une actrice américaine. Elle a beaucoup tourné avec John Cassavetes. Tu vois qui c'est ?

Ali haussa les épaules.

— Connais pas. Je n'ai pas le temps d'aller au cinéma, moi. Et pourquoi j'irais voir des films américains ? Ils s'intéressent à nous, les Américains ? Ils regardent *nos* films ? Ils lisent *nos* livres ?

Malika se leva et alla vers lui.

— Tu veux un verre ?

Ali la regarda sans aménité.

— Un verre ?

Se tournant légèrement, elle lui indiqua la bouteille. Après un instant d'hésitation, Ali se précipita vers la table, empoigna la bouteille et alla la vider dans l'évier de la cuisine. Pendant quelques secondes, on n'entendit plus que le glougloutement du liquide s'échappant de la bouteille. Malika alla jeter un coup d'œil et se mit à s'égosiller :

— Mais qu'est-ce que tu fais ? C'est Claire qui a apporté la bouteille ! Tu n'y as même pas goûté !

Dans la salle à manger, Claire s'était mise à rire nerveusement. Elle cria en direction de la cuisine.

— En plus, il était bon. C'est les rats qui vont se régaler, dans les égouts.

Ali avait posé la bouteille vide à côté de l'évier et il était revenu dans la salle à manger en marmonnant quelque chose. Malika le suivait. Elle s'écria :

— Qu'est-ce que tu marmonnes ?

Ali répéta posément :

— J'ai dit : « Il faut savoir qui on est. » Plus d'alcool dans cette maison !

Brahim, qui était resté debout à côté du buffet, claironna triomphalement :

— *L'hamdoullah*[1] !

Malika, interloquée, balbutia :

— Plus… Plus d'alcool…

Elle regarda Claire, qui leva les yeux au ciel sans piper mot, puis elle s'écria, indignée :

— Ah, bon ! Et c'est toi qui décides ?

Ali était allé s'asseoir sur le sofa, dans le salon, suivi de Brahim.

— Il faut savoir qui on est.

Malika, se tenant entre les deux pièces – ayant à sa gauche Claire, qui venait de se servir un autre verre de vin après avoir ouvert une nouvelle bouteille, et à sa droite les deux cousins qui la regardaient avec une hostilité à peine déguisée – haussa le ton :

— Arrête de répéter cette phrase, ça va, on a compris.

« Il-faut-savoir na na na… » Justement : moi, je sais qui je suis. Pour commencer, je suis quelqu'un qui ne verse pas une bouteille de bon vin dans l'évier quand son cousin est dans les parages, genre : « Je suis un musulman pieux. » Je ne suis pas hypocrite, moi !

Ali bondit sur ses pieds :

— Tu me traites d'hypocrite ?

Brahim, l'index pointé sur Malika, s'exclama :

— *Mounâfiq ! Galt lek mounâfiq*[2] !

Malika, se tournant vers Brahim, hurla :

— Qu'est-ce qu'il dit, lui ? On comprend rien ! Parle français, merde, on n'est pas à La Mecque !

1. « Louanges à Dieu ! »
2. « Hypocrite ! Elle t'a traité d'hypocrite ! »

Et qu'est-ce que tu fais chez moi, d'abord ? Je t'ai demandé d'entrer ? C'est pas un moulin, ici !

Claire se leva à demi et fit des gestes conciliants.

— Oh là là, on se calme…

Ali lui cria, du salon :

— Toi, la Française, on ne t'a rien demandé !

Claire se rassit, choquée. Elle murmura :

— Comment ça, « la Française » ? Et toi, tu es quoi ? Chinois ? Et Malika, elle est quoi ? Albanaise ?

Malika fulminait.

— Ali, tu ne parles pas comme ça à mon amie ! Tu ne la traites pas de Française !

Claire éclata d'un rire nerveux.

— En même temps, ce n'est pas une insulte…

Malika se mit à rire à son tour. Brahim marmonna quelque chose. Malika, retrouvant son sérieux, se tourna vers lui, excédée.

— Oui ? Il dit quoi, lui, l'intrus ?

Brahim recula d'un pas en levant la main, comme s'il se retirait de la querelle.

— *Kh'ti*[1], moi, je ne te parle pas, je ne rentre pas dans vos histoires.

Malika s'avança vers lui.

— Tu ne me parles pas mais quand tu es seul avec Ali, tu ne te gênes pas pour lui parler. Tu le montes contre moi et contre Claire. Tu crois que je ne vois pas ce qui se passe depuis quelques semaines ?

Brahim avait toujours la main levée, la paume tournée vers Malika. Il grommela :

— *Binatkoum*[2]. Ça ne me regarde pas.

1. « Ma sœur. »
2. « C'est entre vous. »

Ali, qui était restée debout, fit un pas vers Malika, le doigt en l'air, menaçant.

— Tu arrêtes d'agresser mon cousin ? Qu'est-ce qu'il t'a fait ?

Malika prit un air moqueur et grinça :

— Ah, nous y voilà… Mon cousin… « Moi et mon cousin contre le monde entier. » Tu vas rameuter toute la tribu ? Tous les Aït Machin et les Ben Truc ?

Claire, mal à l'aise, se fit de nouveau conciliante :

— Et si on se détendait un peu ? y a un problème ? Moi, je n'en vois pas.

Ali s'avança d'un pas pour l'avoir dans son champ de vision et lui lança, sarcastique :

— Tu ne vois pas le problème ?

Claire secoua la tête.

— Non, pas vraiment.

— Tu sais qu'à Paris le seul endroit d'où on ne peut pas voir la tour Eiffel, c'est la tour Eiffel elle-même ?

Claire écarquilla légèrement les yeux.

— La tour… Ah bon ? Et alors ?

Elle eut un petit rire.

— Tu es devenu guide touristique ?

Elle se reprocha immédiatement cette dernière remarque – après tout, il était au chômage, et à un ingénieur au chômage, on ne parle pas d'un job aussi peu glorieux que guide touristique –, mais il ne semblait pas l'avoir entendue car il conclut, glacial :

— Eh bien, la tour Eiffel qu'on ne peut pas voir quand on est dedans, c'est toi. Si tu ne vois pas le problème, c'est que le problème, c'est toi.

Claire éclata de rire :

— C'est bien la première fois qu'on me traite de tour Eiffel ! Je dois prendre ça comme une insulte ?

Malika était outrée.

— Arrête, Ali ! Laisse Claire tranquille ! Elle ne t'a rien fait !

Claire était redevenue très sérieuse. Elle se leva et vint à son tour se planter à l'entrée du salon, à côté de son amie.

— Attends, Malika, attends… Je peux me défendre toute seule. Donc, le problème, c'est moi… D'accord. D'accord. Mais maintenant, tu dois expliquer. Sinon, c'est trop facile.

28

Ma tante Ginette

Elle s'approcha d'Ali, le regarda un moment d'un air goguenard puis retourna dans la salle à manger où elle prit une chaise. Elle l'apporta dans le salon, la retourna et s'agrippa au dossier comme si elle était à la barre, dans un procès. Elle lui faisait maintenant face. Ils étaient séparés d'à peine un mètre. Malika n'avait pas bougé et Brahim s'était éloigné des deux protagonistes : il était maintenant assis tout au bout du sofa, à côté de la fenêtre qui donnait sur la rue des Couronnes. Après un instant de silence, Claire prit un ton cérémonieux :

— Bonjour, señor Torquemada…

Elle salua, la tête inclinée.

— Je ne pensais pas vous rencontrer un jour… Et surtout pas à Paris, au XXIe siècle. Eh bien, monsieur l'inquisiteur, ça veut dire quoi, que je suis *le* problème ?

Ali soutenait le regard de Claire. Il semblait extrêmement concentré, comme s'il avait longtemps attendu la scène qui se jouait maintenant et qu'il nc voulait pas la rater.

— Ça veut dire que tu as une mauvaise influence sur Malika. à cause de toi, elle s'éloigne de sa culture, de ses origines...

Claire l'interrompit :

— Quelle culture ? Quelles origines ? Elle est née rue de Charonne, elle ne parle que le français...

Malika murmura en gloussant nerveusement :

— Et l'anglais. N'oublie pas l'anglais !

Claire :

— Et l'anglais, qu'elle parle comme une vache espagnole.

Les deux jeunes femmes pouffèrent. Claire conclut :

— Bref, c'est quoi, sa culture, ses origines ?

Le regard d'Ali allait de l'une à l'autre des jeunes femmes. Il maugréa :

— Ben... celles de ses parents. Ils viennent du Maroc, tu le sais, non ?

Claire s'agrippa de toutes ses forces au dossier de la chaise.

— Admettons. Il y aurait des choses à dire, mais admettons. Mais où est-ce que j'interviens, moi, dans cette histoire ?

Ali éleva la voix.

— Comment ça, « il y aurait des choses à dire » ? Eh bien, dis-les !

Claire hésita un instant puis elle se lança.

— Si tu insistes... Voilà : j'ai l'impression que quand vous autres Maghrébins, vous parlez de culture, d'origines, etc., il s'agit toujours de religion. Vous confondez culture et religion ou même pas, il ne s'agit même pas de religion, c'est juste des *pratiques* religieuses, vous ne parlez jamais de théologie ou de philosophie. Vous avez juste une liste de trucs interdits.

Elle se leva d'un bond, alla chercher la bouteille vide, dans la cuisine, et revint en la brandissant très haut.

— « Il ne faut pas boire de vin. » Pourquoi ? C'est bon, le vin ! C'est riche, c'est généreux… Ça donne un goût aux choses, à la vie… Et ça se partage, le bon vin. C'est le ferment de l'amitié. Et en plus, c'est bon pour le cœur. C'est prouvé !

Elle lui tendit la bouteille, d'un geste brusque, provocant. Il fit un pas en arrière. Elle la posa par terre, à côté d'un pouf, et s'assit de nouveau sur la chaise qui faisait office de barre des accusés.

— Mais bon, on s'éloigne du sujet. Je répète ma question : où est-ce que j'interviens, moi, personnellement, dans cette histoire entre toi et Malika ? En quoi suis-je un problème ?

Ali avait maintenant l'air très concentré, comme s'il cherchait à rassembler tous les mots et les idées qui pouvaient constituer un acte d'accusation. Il répondit lentement :

— Tu es un problème parce que tu maintiens Malika dans la culture française, les idées françaises, la langue…

Claire l'interrompit, moqueuse :

— Et c'est grave, ça, docteur ?

Ali rugit :

— Oui, c'est grave !

Claire, étonnée par sa véhémence, s'efforça au calme.

— Pourquoi ?

Il pointe l'index sur elle :

— Parce que, comme ça, tu la maintiens dans le superficiel, dans l'inutile !

Malika protesta :

— Dites, je suis là, on parle de moi comme si j'étais absente…

Brahim intervint à son tour :

— Il a raison !

— Voilà l'intrus qui se réveille… Ne jette pas de l'huile sur le feu !

— Je n'ai pas le droit de parler ?

Les deux commençaient à se chamailler, à distance, quand ils furent interrompus par une sorte de beuglement d'Ali, qui avait toujours l'index pointé sur Claire :

— Brahim a raison ! Vous êtes vides à l'intérieur. C'est comme ça que tu maintiens Malika dans le superficiel, l'inutile.

Claire ne voulait pas se laisser impressionner.

— Tu cries ? Je peux crier aussi fort. Mon féminisme commence là : on ne m'engueule pas.

Elle haussa le ton :

— Qu'est-ce que ça veut dire, ça, « vous êtes vides à l'intérieur » ? Ça veut dire *quoi* ? C'est juste des mots. Des mots !

Ali, après quelques secondes de silence, répondit sur un ton normal :

— Vous êtes vides, ça veut dire que vous ne croyez en rien.

Claire se récria :

— « Vous » ? Mais c'est qui, vous ? Tu n'as pas encore compris ça : il n'y a pas de « vous », de « nous », de « eux », ici, en France. On n'est pas dans le Haut-Atlas, avec tes tribus et tes clans… Ici, il n'y a que des individus. Des in-di-vi-dus. Et toutes tes généralités, « vous », « nous », c'est de la connerie ! « Vous ne croyez en rien. » Comment peux-tu dire une telle stupidité ? Tu es déjà allé à Taizé, Ali ?

— Où ?

Elle sauta sur ces pieds.

— Taizé ! C'est en Bourgogne. Ce sont des moines qui vivent là-bas, il n'y a pas que des catholiques, il y a toutes les confessions. Ils mènent une vie très simple, très paisible… Et chaque année, il y a des milliers de jeunes, de France, de toute l'Europe, qui y vont en pèlerinage, pour prier, méditer, discuter. Alors tu vas une fois dans ta vie à Taizé, je te paie le voyage, sérieux : *je te paie le voyage*, et après tu arrêtes de répéter ces conneries qu'on entend tous les jours de Bagdad à Clichy-sous-Bois : « Vous, en Europe, vous ne croyez en rien », etc.

Elle leva le doigt, comme pour souligner un point particulièrement important.

— En plus, là-bas, à Taizé, personne ne les oblige ! Il n'y a pas un imam ou un ayatollah derrière, à les menacer : ils croient *d'eux-mêmes*, ils vivent dans une spiritualité intense parce que c'est leur choix…

Ali l'interrompit :

— Oui, mais toi ? Tu crois en quelque chose, toi ?

Claire releva le menton et répondit sur un air de défi :

— Moi, je suis agnostique.

Ali cria, triomphal.

— Tu es athée ! C'est bien ce que me disait Brahim.

Claire roula des yeux comme si elle était en présence d'un demeuré.

— Attends, je rêve… Non, je ne suis pas athée ! Tu fais exprès d'être bête, Torquemada ? Tu es un génie des maths mais dès qu'il s'agit de religion, tu deviens bête ? Je te le répète : je suis *agnostique*. C'est-à-dire que je ne sais pas. A-gnostique : je-ne-sais-pas ! Je n'ai aucune réponse aux grandes questions métaphysiques : Dieu existe-t-il ? Pourquoi y a-t-il quelque chose plutôt que rien ? Quel est le sens de la vie ? Je ne sais pas. Mais au moins, moi, j'ai le courage de le reconnaître, au lieu de dire : « je sais, je sais », et de donner ensuite un nom à mon ignorance : Dieu.

Elle fut prise d'une soudaine inspiration.

— Tiens, je vais te parler de ma tante Ginette.

Brahim grogna :

— On s'en fout de Dinette. *Sadda'tina*[1] *!*

Claire ne lui prêta aucune attention.

— Ma tante Ginette est prof dans le second cycle. Enfin, elle *était* prof… Elle est à la retraite, maintenant. Elle a eu une vie formidable. Elle a aimé passionnément son métier, elle a eu des collègues stimulants, intéressants, déconcertants, avec qui elle refaisait le monde dans les cafés et les bistrots. Elle a voyagé dans le monde entier, elle a fait du trekking un peu partout, dans *ton* Atlas aussi. Elle adorait le théâtre, elle avait des abonnements, elle pouvait en parler pendant des heures. Avignon, c'était un pèlerinage, pour elle. Et la musique ! Écoute ça…

Elle fredonna les premières notes de *Erbarme dich, mein Gott.*

— Ginette, elle dit parfois : « Qui a besoin de Dieu, quand on a Bach ? »

---

1. « Tu nous embêtes ! »

Se tournant vers Malika, elle sourit. Malika lui lança, amusée :

— C'est ton côté russe, là. Tu pleures, tu cries, tu ris, et après tu chantes… Tu vas nous sortir ta balalaïka ?

Ali, que la tirade de Claire avait désarçonné, murmura :

— Tu veux en arriver où ?

Elle le regarda de nouveau.

— À ceci : elle est encore très active, Ginette, elle a sa bande de copains, les randonnées, la musique. Elle a fait don de son corps à la science. Le jour venu, elle partira sans un regret. Le sourire aux lèvres. Elle en parle avec le détachement des stoïciens, elle dit : « Quand mon corps sera recyclé… » Elle ne croit pas un instant à l'immortalité de l'âme, elle ne croit même pas en l'*existence* de l'âme – un câblage de neurones, dit-elle, et c'est tout ! Un câblage qui produit des images, des représentations, des envies : le « moi ».

Elle lui tourna le dos, fit quelques pas en direction de la salle à manger, comme habitée par Ginette. Sa voix s'altéra un peu.

— Je me souviens de ce qu'elle disait, au mot près. Ça m'a marquée : « Mon corps a été une certaine configuration de molécules. à ma mort, tout cela continuera, sous d'autres formes. Rien ne se perd, rien ne se crée… Des atomes que j'ai traînés dans l'Himalaya se retrouveront dans une marguerite éclose en Bretagne puis dans l'aile d'un moineau, le châssis d'une voiture, la toile d'un peintre de Noisy. Aucune importance. Le monde continuera sans moi, comme le bus continue après qu'on est descendu à l'arrêt auquel on devait descendre. Merci pour le voyage ! Il en valait la peine. »

Malika se mit à applaudir.

— Bravo !

Brahim bougonna quelque chose. Claire revient dans le salon et s'agrippa de nouveau à la chaise retournée. Ali, qui n'avait pas bougé, lui dit froidement :

— Tu as fini avec Binette ou Ginette ou je ne sais trop quoi ?

Claire le salua ironiquement :

— Oui, Votre Honneur.

Il haussa les épaules.

— Bon. Et quelle est la leçon de tout ça ? La morale de l'histoire ?

— J'y arrive. Je te pose une question : ose me dire que la vie de Ginette, sa vie d'agnostique, est vide ?

Ali resta silencieux. Brahim lui vint en aide.

— *Aji be'da*[1]... Elle ne s'est jamais mariée, Ginette ? Elle n'a pas eu d'enfant ?

Claire le fixa un instant, incrédule, puis leva les bras en l'air, découragée.

— C'est tout ce qu'il a compris, lui. *Le sage montre la lune du doigt...*

Elle hésita un instant puis reprit.

— Ginette a eu plusieurs hommes dans sa vie. Et une grande histoire d'amour avec un homme marié. Mais elle ne s'est pas mariée, elle n'a pas fait d'enfants, puisque c'est ça qui t'intéresse. Elle ne regrette rien.

Brahim ricana.

— Elle a bien rempli sa vie, ta tante. Si on veut... Mais l'au-delà ? Là, elle n'aura rien. Ce sera le vide éternel, pour elle.

— L'au-delà...

1. « Dis donc. »

Claire haussa les épaules et fit un geste évasif.

— L'au-delà, c'est facile de tout miser là-dessus : personne n'en est jamais revenu pour nous dire ce qui s'y passe exactement... *s'il s'y passe quelque chose*. Pas de témoin ! C'est pratique : ça permet de dire n'importe quoi là-dessus.

Elle se tourna vers Ali.

— Et voilà ce que je voulais dire : entre Ginette qui a eu une vie bien remplie, qui pleure en écoutant Bach ou en lisant de la poésie, et ceux qui refusent de vivre ici-bas, qui mènent une vie aride, sèche, monotone, sans musique ni poésie, en espérant quelque chose dans un au-delà incertain, qui est *vide* ? Hein ? Qui est vide à l'*intérieur* ? Au moins, elle, elle ne fait pas le bien en espérant en être récompensée un jour... dans l'au-delà.

Elle haussa légèrement la voix.

— Parce que j'oubliais encore un détail : chaque mois, elle envoie des chèques à Amnesty International, à Greenpeace, aux trucs du genre « Sauvons les petits Africains de la malaria ». Elle le fait de façon anonyme, désintéressée, sans espérer se taper soixante-dix puceaux au paradis. Elle ne fait pas donnant-donnant avec Dieu. Alors, qui est vide à l'intérieur, señor Torquemada ?

Elle se tourna vers Brahim.

— Et toi, Sancho Pança ?

Brahim ne releva pas la pique – sans doute ne la comprit-il pas. Il se gratta le crâne puis murmura :

— Explique, euh... Explique-moi une chose.

— Quoi ?

— Cette histoire d'atomes, de molécules... de recyclage... Donc ta tante (Dinette ?), et toi-même, je suppose, vous êtes satisfaites de n'être que des corps ?

Claire s'esclaffa :

— *Que* des corps ? *Que* des corps ? Ça ne te suffit pas ?

— Non, ça ne me suffit pas. C'est rien, le corps. C'est méprisable…

— Ah, nous y voilà ! Vous êtes bien tous les mêmes, dans toutes les religions. Judaïsme, christianisme, islam : le corps est sale, suspect, méprisable. Le corps, il vieillit, il se flétrit, mais l'âme, l'hââââme, est immortelle. Moyennant quoi, bande de tartufes, vous matez en douce le corps des femmes, dès que vous en avez l'occasion. Dans le métro, ils me déshabillent du regard dix fois par jour tes coreligionnaires… et après, je suppose qu'ils vont à la mosquée me vouer à l'enfer après s'être bien rincé l'œil ? Et en même temps, ils bavent, l'œil exorbité, comme le loup de Tex Avery, en pensant aux nénettes qu'ils vont se taper au paradis… Bonjour, la cohérence…

Elle se mit à danser, légèrement, et puis, d'un seul coup, passant les bras derrière son dos, elle attrapa un pan de son pull et, le faisant passer par-dessus sa tête, elle l'enleva et le jeta sur la télévision. Puis elle se mit à dégrafer sa chemise.

— Oui, je ne suis qu'un corps ! Et c'est très beau, un corps !

Malika, interloquée, lui lança :

— Qu'est-ce que tu fais ? Arrête !

Claire ne la regardait pas. Elle fixait Brahim, qui se tenait maintenant derrière Ali.

— C'est naturel, un corps ! On est tous nés avec… Et on est tous nés nus. Nus ! Tous ! Et j'en suis parfaitement heureuse. Mate ce sein « méprisable », Tartufe !

Ce sein que tu ne saurais voir, mais que tu reluques maintenant, hein ?

Brahim, hypnotisé, balbutiait :

— *Allahouma hada mounkar, allahouma hada mounkar*[1]…

Ali aboya en direction de Malika :

— Elle est folle, ta copine ! Dis-lui d'arrêter, merde !

Malika haussa les épaules.

— C'est toi et ton cousin… C'est de votre faute. Vous n'avez pas cessé de la provoquer.

— Elle est soûle ! Chez moi !

— Chez *nous*. Nuance. Et elle n'est pas soûle.

Elle pensa : *juste un peu pompette.* Claire semblait être en transe :

— Mate ce sein, *sidi* Tartufe ! Tu aimerais bien toucher, hein ? Méprisable, ce sein, mais bien rond, méprisable mais bien chaud…

Elle jeta sa chemise sur Brahim tétanisé, qui ne cessait de dérouler à mi-voix sa litanie. Il saisit la chemise avant qu'elle ne lui frappe le visage et la serra dans sa main.

— Mate le *vide* bien ferme de ce ventre, de ces cuisses, de ces fesses, Torquemada !

Elle jeta sa jupe sur Ali. Le vêtement léger se percha sur sa tête et sur son épaule, comme un oiseau de tissu.

— Messieurs, bande d'hypocrites, ce corps vous dit : allez vous faire foutre ! Ou plutôt, n'y allez pas…

Elle éclata de rire. Malika, prise elle aussi d'un fou rire, enlaça Claire – Claire qui semblait à la fois rire

1. « Mon Dieu, c'est une infamie. »

et sangloter maintenant – et l'emmena vers la chambre à coucher. La porte se referma derrière elles.

Le silence revint dans le salon.

Brahim et Ali, l'un tenant une chemise délicatement parfumée, l'autre coiffé d'une jupe, se regardaient, ahuris.

29

Le genou de Claire

Après quelques instants de sidération, Brahim regarda la chemise qu'il tenait à la main puis il la jeta au sol d'un geste brusque, comme si elle lui brûlait les doigts. Ali fit de même avec la jupe.

Brahim fut le premier à parler.

— Tu as vu ? C'est ça, la mauvaise influence. Je te l'avais dit !

Ali fit quelques pas en direction de la chambre à coucher puis s'arrêta. Il se tourna vers Brahim.

— Attends, j'hallucine… Cette pute a fait un strip-tease dans *ma* maison ?

Brahim souffla :

— La prochaine fois, ce sera Malika qui le fera, le strip-tease.

Ali rugit :

— Jamais ! Je la tue !

Brahim se fit insinuant :

— Et d'ailleurs, qui te dit qu'elles ne font pas des strip-teases entre elles, quand elles sont seules ?

Hein ? Qui sait ? *Chkoun 'ref*[1] ? Quand tu n'es pas là…

Ali serra les poings.

— Arrête…

Il alla dans la cuisine, ouvrit le réfrigérateur et en sortit une bouteille de jus d'orange. Il but une longue rasade au goulot, s'essuya les lèvres du revers de la main et retourna dans le salon. Brahim n'avait pas bougé. Il regardait la corolle que faisait la jupe de Claire sur le sol. Il leva les yeux vers Ali.

— Qu'est-ce que tu vas faire ?

Sans répondre, Ali alla taper à la porte de la chambre à coucher. La voix de Malika retentit, furieuse :

— Laisse-nous tranquilles ! Claire dort ici cette nuit, tu n'as qu'à t'allonger sur le sofa.

Il hésita un instant puis revint dans le salon.

— Bon, Brahim, le mieux, c'est que tu rentres chez toi. Moi, je vais rester ici. Je verrai demain matin comment… comment tout ça… Enfin, bref, à bientôt.

Brahim partit sans mot dire. Le genou de Claire le tourmentait.

Trop énervé pour dormir, Ali s'effondra sur le sofa et alluma la télévision. Al-Jazira diffusait un documentaire sur l'histoire récente de l'Irak. La première image qu'il distingua fut le visage glabre et souriant d'un Américain qui ressemblait à une vedette d'Hollywood.

C'était Paul Bremer.

---

1. « Qui sait ? »

30

« Our boy Paul »

Ni Ali ni Malika n'ont jamais rencontré Paul Bremer (connaissent-ils seulement son nom ?), et pourtant il ne serait pas exagéré d'affirmer que cet Américain au regard clair et au sourire séduisant aura été l'homme le plus important de leur vie.

— Vous exagérez, comme d'habitude.

Non, si on définit « le plus important » par : celui dont les actes ont eu les conséquences les plus graves pour vous.

— Vous maniez le paradoxe.

Attendez.

Qui est Paul Bremer ?

C'est un diplomate américain né en 1941 à Hartford, dans le Connecticut.

Quand il fut nommé « patron » de l'Irak, en mai 2003, mon amie américaine P. reçut un long coup de téléphone de sa mère, qui habitait dans l'île de Martha's Vineyard et connaissait toute la bonne société de la côte Est. Après avoir raccroché, P. se tourna vers moi, perplexe et amusée.

— Ma mère me dit que « *our boy Paul* » a été envoyé en Irak pour le diriger [*to run it*]. Elle connaît bien sa famille. Ils en sont tous très fiers.

Our boy Paul… Le rejeton d'une des bonnes familles de l'East Coast, bien rasé et propre sur lui, marié à la belle Frances Winfield, bon fils et bon père, diplômé de Yale et de Harvard, était nommé vice-roi d'un pays multiethnique, en majorité musulman, effroyablement complexe et « vieux comme les fourmis » (c'est une expression marocaine). Je craignais le pire.

— Vice-roi ? Vous exagérez, encore une fois.

Officiellement, il fut nommé « directeur de la reconstruction et de l'assistance humanitaire ». Mais dans les faits…

— Dites donc, il faut bien quelqu'un pour diriger le pays puisque le régime s'est effondré. Il ne va pas se remettre debout par l'opération du Saint-Esprit.

D'accord. Mais Bremer avait un MBA de Harvard. *Business administration*, ce n'est pas un diplôme d'histoire ou d'ethnologie. Ce n'est pas avec un MBA qu'on peut comprendre douze mille ans d'une Histoire mouvementée et chaotique. Abraham, notre père à tous, est né là. Vérifiez : Ur, en Chaldée, c'est là.

— Vieux comme les termites, effectivement.

Les fourmis. Bremer avait été nommé « ambassadeur pour l'antiterrorisme » (*sic*) en 1986, par Ronald Reagan. Vous connaissez le dicton ? « À qui ne dispose que d'un marteau, tout problème a l'air d'un clou. » Bremer voit des terroristes partout. Il débarque en Irak, le marteau à la main, et voit en tout membre du parti Baath un clou. Il tape donc très fort dessus.

— Aïe.

Plus que vous ne le croyez. Tout d'abord, la nature même du régime forçait quiconque voulait faire carrière à prendre la carte du parti, même s'il ne partageait pas les idées de Saddam.

— Un fou sanguinaire, un tyran…

La question n'est pas là. En purgeant l'administration et l'armée irakiennes des membres du parti Baath (ce sont quasiment ses premiers décrets), *our boy Paul* fait une erreur monstrueuse. Et même *trois* erreurs.

D'une part, l'administration irakienne s'effondre. Or, c'était l'une des plus efficaces de la région (on appelait les Irakiens « les Prussiens du monde arabe »…). Elle aurait été d'une aide précieuse pour maintenir l'ordre. Au lieu de quoi, on tombe dans l'anarchie.

Deuxième erreur : les officiers renvoyés de l'armée parce que membres du Baath étaient en majorité des sunnites. Où croyez-vous que le pseudo-calife de Daesh trouve aujourd'hui ses cadres ?

Troisième erreur : le parti, quoi qu'on puisse lui reprocher, avait une idéologie laïque. Il fut d'ailleurs fondé par un chrétien, Michel Aflak. Dissolvez le Baath, il reste quoi ? Des idéologies religieuses, donc la guerre civile.

Pour finir, il faut noter ceci : en 2005, après le départ de Bremer, un rapport officiel de l'inspecteur général Stuart Bowen signala la disparition de neuf milliards de dollars destinés à la reconstruction de l'Irak. Il évoqua des fraudes, des malversations. En fait, l'administration irakienne s'étant effondrée, comme on vient de le voir, *our boy Paul* ne put administrer grand-chose… Il rentra chez lui embrasser Frances et les enfants et laissa les Irakiens se débrouiller.

En voulant imposer la démocratie selon ses propres normes, sans rien comprendre au contexte local, Bremer donna le pouvoir aux chiites, qui sont majoritaires dans le pays. Les chiites s'empressèrent de se venger sur les sunnites pour ce qu'ils percevaient comme des décennies de mépris et de discriminations. Les sunnites, brimés, en butte aux discriminations (chacun son tour…), étaient tout à fait mûrs pour se rallier à la bannière du calife auto-proclamé de Raqqa.

De là à dire que Bremer et les Américains sont responsables de l'émergence du pseudo-calife et des horreurs de Daesh…

— Vous allez trop loin.

Vraiment ? Eh bien, ce n'est pas moi qui le dis, c'est Tony Blair[1]. Il est bien placé pour le savoir, non ?

Daesh, c'est la revanche des sunnites irakiens humiliés par les décrets de *our boy Paul* – ce qui rend d'autant plus étrange la folie de ces jeunes Européens, ces nouveaux *rebels without a cause*, qui vont mourir pour le drapeau noir du pseudo-calife... Que vont-ils faire dans cette galère ?

— On se le demande.

Vous voyez bien que Paul Bremer doit *forcément* figurer dans l'histoire d'Ali et de Malika. Il y a beaucoup de personnages invisibles, dans un roman.

---

1. Interview, CNN, 26 octobre 2015.

31

Le réel et le virtuel

Elles s'étaient installées au premier étage de *L'Autre Café*, rue Édouard-Lockroy, délaissant le rez-de-chaussée aux belles mosaïques, trop bruyant à cette heure-ci. En haut, la salle était presque vide : dans un coin, un jeune homme était en train de lire une revue, en se tapotant le menton de l'index de la main droite, comme s'il battait la mesure d'une musique qu'il était seul à entendre. Une dame âgée, assise très droite sur la banquette, regardait par la fenêtre l'agitation de la rue, s'interrompant parfois pour boire une gorgée de thé ou caresser distraitement un petit chien étendu à côté d'elle et qui remuait alors la queue avant de s'assoupir de nouveau. De temps à autre, une serveuse montait jeter un coup d'œil sur la maigre clientèle puis disparaissait aussitôt.

Malika sirotait son jus d'orange.

— Jusqu'à trois heures du matin… Il est devant son ordinateur. Hypnotisé ! Il vit dans un autre monde.

Claire était intriguée. Elle se pencha en avant et chuchota :

— Il regarde quoi ? Du porno ?

— Pfff, à la limite, je préférerais… Non : il ne regarde que des sites islamiques. Islamistes, djihadistes, je ne sais pas comment appeler ça. Genre des barbus qui hurlent, qui éructent… Et puis des vidéos complètement gore… des types qu'on décapite, des explosions… Ça fait froid dans le dos, je t'assure. Évidemment, il ne les regarde pas quand je suis là, mais je l'ai épié.

— Vous en êtes à vous épier ? Dis donc, ça ne marche pas très fort entre vous.

— Ben non. Il boude, il m'en veut depuis ton strip-tease. Qu'est-ce qui t'a pris, aussi ?

— Attends, t'étais là, tu as vu comment ils me parlaient, tous les deux, lui et l'autre ?

— Tu y es allée un peu fort…

— De quoi il se plaint ? y a des types qui paient cher pour mater un… attends, comment on dit ? Ah oui, un *effeuillage*.

Elle avait pris un ton très distingué pour prononcer le mot.

— Peut-être, mais eux, ils ne t'avaient rien demandé. En fait, il boude surtout parce que tu as dormi chez moi… enfin, chez nous, mais dans la chambre à coucher alors que lui, il a passé la nuit sur le sofa. Tu vois, ça, ça l'a énormément vexé. Choqué, en fait.

— Tu exagères.

— Non, non. Il me l'a dit. *Cho-qué.* Il lui arrive de me dire quelques mots. Toujours des reproches ! C'est… c'est lassant. Je reste le plus longtemps possible, à l'école, maintenant, je vais à la salle des profs, je bavarde avec n'importe qui… Franchement, l'ambiance n'est pas très drôle, à la maison. Et je ne sais pas du tout comment ça pourrait s'arranger. Il faut qu'il trouve du boulot, très vite. Mais il ne fait rien pour. Et je ne me vois pas épluchant les petites annonces…

Elle fit tourner le jus d'orange dans son verre. Elle avait l'air pensif.

— J'ai entendu une émission ce matin, sur France Culture. Il y avait le… comment il s'appelle ? Le spécialiste de l'islam, en France ?

— Trucmuche ?

— Quoi, Trucmuche ?

— Ben, tu me demandes ça comme si j'en savais quelque chose. Alors je te réponds : Trucmuche.

— Kepel ! Gilles Kepel.

— Ah ouais, d'accooord. Et qu'est-ce qu'il disait, Gillou ?

— Il disait, euh… Il y a toute une génération qui a grandi avec les jeux vidéo, tu vois les jeux ultraviolents, où on tire sur tout ce qui bouge, où on tue des *aliens* ou des *avatars* ou des hommes, du matin au soir, dans l'indifférence totale…

— L'indifférence de qui ?

— De tout le monde, de la société, de leurs parents… Il n'y a plus aucun jugement moral. Tu branches ta *Playstation* et tu te mets à massacrer… et personne ne te dit rien. D'autre part, ces jeux sont tellement bien faits maintenant que tu crois vraiment être dans le monde réel. Donc, ces sites jihadistes ultraviolents, ces barbus surarmés qui hurlent, qui tuent, qui décapitent, toutes ces explosions, ça ne les *dépayse* pas, c'est comme s'ils passaient d'un jeu vidéo à un autre… Il n'y a plus de frontière entre le virtuel et le réel. J'ai regardé l'autre jour, par le trou de la serrure…

— Ah non ! Vous n'en êtes pas là, quand même ? C'est du vaudeville !

— Que veux-tu que je fasse ? Il s'enferme toute la journée dans la petite bibliothèque et il n'en sort pas !

— Quand même, le trou de la serrure…

— Tu es *mon* amie ?

Elles se sourirent.

— Donc, j'ai regardé. Il était devant l'ordinateur, immobile, hypnotisé. Et ce que j'ai pu voir, c'est ce genre de vidéos… J'en ai parlé avec un collègue qui connaît bien la question. Il m'en a décrit certaines, j'ai eu la nausée… Ali regardant ces horreurs… Franchement, je n'y comprends rien, ça me fait peur…

Claire se redressa sur la banquette. Tout cela ne présageait rien de bon.

— Je me demande si tu ne ferais pas mieux de déguerpir…

— Mais c'est *mon* appartement !

— Tu as essayé de lui parler ?

— Oui, mais il me répond à peine. Parfois, ce qu'il dit n'a aucun sens. Ou alors, il me parle de religion, lui qui n'a jamais mis les pieds dans une mosquée ! C'est toujours l'influence de son cousin Brahim… On tourne en rond.

— Et Brahim, tu ne lui parles jamais ?

— À quoi bon ? Tu as vu les trucs débiles qu'il t'a sortis, l'autre jour ? On vit dans des mondes différents.

32

Désorientée

On sonna à la porte. Malika alla regarder par le judas. Elle hésita à ouvrir puis le fit quand même, de mauvaise grâce. Brahim se tenait sur le palier, la tête un peu inclinée, l'air gêné.

— Il est là, Ali ?

— Non, il n'est pas là. Il est sorti acheter quelque chose. Entre, tu l'attendras ici. Tu veux un verre d'eau ?

— Non merci.

— Une bière, alors ?

— *Ch'nou*[1] ?

— Je plaisante.

Brahim fit quelques pas et s'assit à la table de la salle à manger. Après quelques instants de silence, il leva les yeux vers Malika, qui se tenait debout devant lui, et chuchota.

— Ça tombe bien…

— Qu'est-ce qui tombe bien ?

1. « Quoi ? »

— Qu'Ali ne soit pas là. Il faut que je te parle.

Saisie d'une soudaine inspiration, Malika s'exclama :

— Ah, vous avez manigancé tout ça ! Il sort et cinq minutes après, tu frappes à la porte. C'est du Feydeau… *Les portes claquent !* C'est pratique, les portables, hein…

Brahim baissa la tête en signe de contrition.

— Oui, c'est vrai mais il fallait qu'on se parle. Je suis son cousin, tu es sa… sa… Enfin bref, on est alliés, d'une certaine façon…

— Alliés ?

— Oui, comme attachés.

— Tu veux dire : *liés* ?

— Euh oui…

Malika fit la moue.

— Je ne me sens pas trop attachée à toi, mais bon. Qu'est-ce que tu veux ?

— On est tous les deux de la famille, maintenant. Il vaut mieux qu'on s'entende bien.

— L'intention est louable, comme on dit.

— Pardon ?

— Rien. Vas-y, continue. Je nous prépare du café, d'accord ? Puisqu'on est de la même famille, hein…

Pendant qu'elle faisait bouillir l'eau, Brahim remuait les lèvres sans émettre un son, comme s'il répétait une leçon apprise par cœur.

Malika revint avec la cafetière et deux tasses. Elle versa le café.

— Du sucre ?

— Oui, merci.

Il prit trois morceaux et les mit dans sa tasse.

— Tu aimes bien le sucré, toi. C'est pas *haram*, ce péché mignon ?

— Non, le Prophète aimait beaucoup le miel.

— Heureusement qu'il n'aimait pas la mort-aux-rats. On l'a échappé belle.

Brahim la regarda sans comprendre puis il but une gorgée de café. Il hésita un instant puis demanda, intrigué :

— Pourquoi tu dis « péché mignon » ? Ce n'est pas mignon, les péchés.

— C'est juste une expression, n'en fais pas une obsession.

— Oui, mais si les Français disent « péché mignon », c'est qu'ils ne prennent pas au sérieux les péchés, non ?

— Ils les prennent tellement au sérieux qu'ils en ont fait une nomenclature : mortel, véniel, mignon, de jeunesse, etc. Il y a aussi les sept péchés capitaux dont la gourmandise fait partie. Encore un petit morceau de sucre ?

— Non, non… merci.

— Il y a aussi le pêcher franc, qui ressemble à un prunier…

— C'est un péché mortel ?

Malika eut du mal à ne pas éclater de rire.

— Oui, mortellement bon… Mais on arrête là, si tu permets. Tu n'es quand même pas venu prendre un cours de français ou de théologie ? Maintenant que les mondanités sont finies, dis-moi ce que tu veux me dire. Pour qu'on se *lie*, comme tu dis… Tu ne vas quand même pas me ligoter ?

Elle le regarda d'un air malicieux. L'autre fronça les sourcils sans répondre. Elle aspira une gorgée de café.

— Tu n'as pas vraiment le sens de l'humour, hein, Brahim ?

— Non. Dans notre famille, personne n'a le sens de l'humour. à Khouribga, on est célèbres pour ça.

Il avait répondu cela sur un ton sérieux, comme s'il exposait avec objectivité les résultats d'une enquête scientifique. Malika l'examina attentivement. Était-il tellement pince-sans-rire qu'elle ne s'en rendait pas compte ? Elle insista :

— Mais Ali a le sens de l'humour, il peut même être très amusant, très spirituel. Enfin, *il l'était*... Et il fait partie de ta famille, non ?

— Oui, mais c'est un cousin du côté de sa mère.

— Ah, ah. Du côté des femmes… Du mauvais côté, quoi ?

— Oui.

Elle reposa sa tasse, découragée.

— Bon, qu'est-ce que tu voulais me dire ?

De nouveau, les lèvres de Brahim bougèrent sans qu'il prononçât un mot. Puis il se lança.

— Tu parles toujours de mon influence sur Ali. Ma mauvaise influence…

Il s'arrêta, puis murmura tristement :

— Si je pouvais trouver les mots, Malika…

— Ne t'en fais pas, je sais lire entre les lignes… entre les mots.

Il but une gorgée de café puis reprit :

— Tu as prétendu que ce que disait Ali, sous mon influence, n'avait aucun sens.

Il cherchait une confirmation dans le regard de Malika.

Elle murmura :

— C'est possible.

— Aucun sens ? Mais c'est justement ça que je cherche : le sens… Comment vivre, sinon ? Alors oui, je suis ce qu'on appelle… euh, un musulman « pratiquant ». Et alors ? Il n'y a pas de juif pratiquant ? de chrétien pratiquant ? d'hindou pratiquant ? Mais eux, on ne leur dit rien, on les laisse faire. On les respecte ! On respecte les prêtres et les rabbins, on leur fait des politesses. Même les athées disent : « Sa Sainteté le pape. » Ou bien : « les bonnes sœurs ». Je les entends, à la télé.

Il s'arrêta, guettant une réaction. Malika le regardait sans mot dire, en sirotant son café. Il reprit :

— Les journalistes disent toujours, à la télé : « le voile *islamique* ». Mais toutes les nonnes sont voilées ! Tu les vois, dans la rue ? Et toutes les juives orthodoxes sont voilées ! Il y en a même, des ultra-orthodoxes, qui se rasent le crâne… comme dit Ali : *la boule à zéro !* Et après, elles mettent une perruque dessus ! Personne ne trouve ça ridicule. Si on faisait ça à Médine ou à Kandahar, on trouverait ça grotesque !… hallucinant ! On nous traiterait de débiles mentaux ! Je vois d'ici les caricatures dans *Charlie Hebdo*…

Malika intervint.

— Laisse tomber. Toi qui te vantes de ne pas avoir le sens de l'humour, tu es mal placé pour parler de *Charlie Hebdo*.

Brahim hésita un instant puis continua :

— Et cette polémique sur la viande halal… Mais est-ce qu'ils savent que nous pouvons manger tout ce que les juifs mangent et rien d'autre ? Casher, halal, c'est la même chose, mais il n'y en a que pour nous ! On ne tape que sur nous ! C'est de l'islamophobie.

Il avala une gorgée de café.

— Oui, j'ai besoin d'avoir un sens dans ma vie. Il faut un sens, quelque chose qui me… qui me *dépasse*.

Sinon, qui suis-je ? Un corps, un animal ? Un singe habillé ? Habillé. Oui, ce n'est pas moi qui ferais un strip-tease devant des inconnus ! Claire, ton amie… Tu sais ce qu'elle est ? Elle est *désorientée*. Dé-so-rien-tée ! Moi, j'ai mon Orient. Je sais où elle est, l'étoile qui me guide : c'est le Livre. Le Coran. Je sais d'où je viens, je sais où je vais. Je sais ce que je dois faire. Est-ce un crime ?

Il avait l'air de réciter un texte appris par cœur. Il n'était pas si éloquent, d'habitude. Malika répliqua posément :

— Non, ce n'est pas un crime. Personne ne dit ça ! Tu fais ce que tu veux, tu crois ce que tu veux. Le problème n'est pas là. Le problème, c'est : pourquoi veux-tu imposer aux autres tes croyances, ton mode de vie ?

Brahim cria presque :

— Parce que ça fait partie de ma foi ! Je dois montrer aux autres le droit chemin ! Les chrétiens disent « annoncer l'Évangile ». C'est la même chose, non ? Moi, *j'annonce* le Coran…

Malika esquissa un sourire.

— C'est la bataille des annonceurs, quoi… Havas contre… contre Publicis, tiens. Et c'est le gogo qui paie.

Brahim protesta :

— Je ne comprends pas.Toujours ces blagues, ces jeux de mots…

— Eh ! c'est que j'ai le sens de l'humour, moi ! Je ne suis pas un bonnet de nuit, comme toi. Un bonnet islamique.

Piqué au vif, il répliqua :

— Tu es aussi désorientée que ton amie.

Elle reposa sa tasse et prit un ton indigné :

— Attends, tu es chez moi et tu m'insultes ?

— Je ne t'insulte pas.

Elle prit les intonations d'Arletty :

— Désorientée, désorientée… Est-ce que j'ai une gueule de désorientée ?

Brahim l'examina attentivement.

— À vrai dire, oui. On ne sait plus si tu es française ou marocaine.

— Je suis belge.

— Ce n'est pas vrai. Ali me l'aurait dit.

— Mais il est bouché à l'émeri, lui ! Bon, la désorientée te dit ceci : je suis Malika, qui commence à en avoir assez de recevoir des leçons de morale chez elle par un gugusse, et qui demande poliment audit gugusse de finir son café, de prendre son Orient sous le bras et de s'en aller.

Brahim plissa les yeux, comme s'il cherchait à distinguer quelque chose sur le visage de Malika, puis il se leva et se dirigea vers la porte.

— Moi, je sais d'où je viens, je sais qui je suis et ce que je dois faire. *L'hamdou 'llah*[1] !

À ce moment précis, la porte de l'appartement s'ouvrit et Ali entra, l'air inquisiteur. Il n'était pas étonné de trouver Brahim chez lui.

— Bonjour. Vous avez eu une bonne discussion ?

Lui répondirent, parfaitement synchronisées, la moue dubitative de Brahim et la grimace excédée de Malika.

---

1. « Louanges à Dieu. »

Deuxième partie

Quelques mois plus tard…

33

La faute à la bombe, aux Arabes, aux Roms…

Claire l'avait invitée à dîner rue Marie-et-Louise. Depuis qu'elle était entrée dans l'appartement, Malika n'avait cessé d'aller et venir en ronchonnant.

— Je vais finir par les manger crus, ces monstres ! Les petites filles modèles, les petits anges blonds… Tu parles ! Et en plus, ils s'appellent tous Tchang ou Mamadou. Je ne suis pas raciste, bien sûr.

Claire sourit.

— Viens t'asseoir. Je nous fais, euh… des quenelles de brochet ?

— C'est ça ! Et les quenelles de brochet vont se transformer, comme d'hab', en spaghetti bolognaise ?

Claire se mit à geindre.

— Les brochets, on n'en trouve plus, ma pauv' dame. C'est la faute à la bombe, aux Arabes, aux Roms…

Malika pointa un doigt accusateur sur son amie.

— Dis plutôt que tu ne sais rien faire d'autre. Même pas des blinis. C'est bien la peine d'avoir une amie russe.

Claire reprit un ton normal.

— *Moitié* russe, please. Je peux te faire des moitiés de blinis avec une demi-bouteille de vodka.

Malika haussa les épaules.

— Tu es nulle. Ou *moitié* nulle.

— *Look who's talking !* On nous bassine avec la cuisine marocaine, « l'une des meilleures au monde », bla-bla-bla, j'ai une amie marocaine – enfin, « d'origine » – et qu'est-ce que je mange ? Des couscous succulents ? Des tagines ? Non : des trucs végétariens, minimalistes. Elle est où, l'épaule d'agneau ou de veau que tu me promets depuis des mois ? La fameuse *dal 'a... 'a... 'a...*

Elle redevint sérieuse.

— À propos, tu as des nouvelles de ton ex ? Ali ?

Malika soupira.

— Tu sais bien que je ne veux plus en parler. Pourquoi reviens-tu toujours là-dessus ?

— Toujours, toujours... Tu exagères. J'en parle une fois par mois, au maximum. Je suis curieuse. Et puis je crois que ça te ferait du bien d'en parler.

— Toi aussi tu es devenue psy, comme tout le monde ?

— Je t'assure que ça te ferait du bien. Il ne faut pas tout garder à l'intérieur. Tu vas finir par exploser et c'est encore moi qui devrai recoller les morceaux.

— Idiote.

— Allez, raconte. Tu as des nouvelles d'Ali ?

Malika hésita un instant puis répondit.

— Non, pas vraiment. Parfois, je rencontre d'anciens copains à lui.

— Oui, je sais, mais qu'est-ce qu'ils disent ? Il y a du nouveau ?

— Ils me parlent de lui, mais ils racontent tous des trucs différents. Chacun a sa version. Ce qui est sûr, c'est qu'il a quitté la France. Lui et son cousin, euh… comment il s'appelait, ce lourdingue ? Ah oui : Brahim.

— Attends, il est pas sur Facebook, sur Twitter ?

— Non. Ça n'a jamais été son truc, les réseaux sociaux.

Claire fronça un sourcil.

— Bizarre, pour un petit Mozart de l'informatique.

— Non, justement, il savait parfaitement quels étaient les risques. De toute façon, je ne suis pas sûre qu'il veuille être en contact avec moi. Et moi non plus… C'est du passé, Ali.

Elle se mit à chantonner :

— « *Bye bye* Ali, rendez-vous à jamais… »

Claire se boucha les oreilles.

— Arrête, arrête, il va pleuvoir.

Elle l'embrassa pour la faire taire puis rejoignit la cuisine.

34

Au cœur des ténèbres

Qu'est-ce que je fais ici ?

Dix fois, vingt fois par jour, insidieuse, cette pensée lui traversait l'esprit. Il essayait de la chasser comme on chasse, d'un geste impatient, le moustique qui fredonne à portée d'oreille sans qu'on puisse le voir – mais c'était peine perdue, la pensée revenait sans cesse, c'était comme si quelqu'un, un autre… un autre quoi ? un esprit ? un djinn ? un *alter ego ?*… s'était insinué dans son cerveau et soufflait par intermittence ces quelques mots qu'il voyait en même temps qu'il les entendait.

Ce n'était pas tout à fait une pensée, à vrai dire, c'était plutôt un bloc, rien d'élaboré, une phrase d'un seul tenant, toujours en français, malgré les cours intensifs d'arabe qu'il prenait maintenant dans cette ville de Syrie dont il avait, toute sa vie, ignoré le nom, mais qui était depuis quelques mois sa nouvelle patrie…

Qu'est-ce que je fais ici ?

… un bloc, une phrase, une suite de mots – à lui de leur donner un sens, il lui semblait les voir clairement tracés dans l'air (mais par qui ?), en surimpression des scènes absurdes ou horrifiantes auxquelles il assistait presque chaque jour…

… une pendaison, une décapitation, une défenestration, tout cela dûment enregistré par l'œil impassible des smartphones…

… et, dans sa tête, la voix nasale de Marlon Brando répétant « *Horror, horror* »…

Que venait faire Brando dans cette felouque ?

On ne peut pas s'empêcher de penser, ça pense, ça parle… Ces phrases qui apparaissent…

« C'est l'œuvre du Diable, il faut réciter un verset du Coran *pour se donner du cœur*, et puis dire *astaghfirou'llah* pour chasser le démon », l'imam au regard noir l'avait assené, de son ton usuel, sans réplique, assené et répété, quand on lui avait demandé ce qu'il fallait faire quand des pensées impies nous submergeaient… il faut dire *astaghfirou'llah*, « je demande pardon à Dieu »…

… mais ouiche, c'est quand même Brando qui résonne dans la boîte crânienne, pardon, pardon, on n'y peut rien, impossible de lui échapper, impossible d'échapper à Kurtz, à son cri qu'on imagine rauque et déchirant, impossible d'échapper au cri de désespoir de toute l'humanité, et de l'humanité en nous, quand c'est un homme qu'on brûle vif, dans une cage posée à même le sable, ou était-ce de la terre battue, une dalle de béton, qu'importe…

… quand on brûle vif un homme, ce pilote jordanien…

… *victime au regard d'enfant perdu* quand il aperçoit la flamme qui s'approche en se tordant, serpent de feu sorti sifflant des Enfers, et l'homme comprend que c'est lui bientôt qui se tordra dans une dernière convulsion, atroce…

Horror, horror...

… Brando incongru, hôte encombrant, marmonnant… *Ôte-toi de là*, que j'y mette un verset adéquat… *astaghfirou'llah ! astaghfirou'llah !*

… mais non, tu l'as vu dix fois, ce film, la voix de l'acteur américain couvre celle qu'on prête à Dieu…

… par quel miracle, par quel tour du Malin, par quelle ruse la voix d'un simple mortel peut-elle couvrir celle de Dieu – mais n'est-ce pas la preuve que c'est un Dieu banalement humain qu'on fait parler – *non, non, ne pense pas cela...* si !… ce sont des hommes qui parlent, ventriloques, et se parent d'oripeaux qu'ils prétendent divins, éternels, infinis, quelle arrogance !… alors que ce qu'ils font éructer à leur marionnette est d'une banalité révoltante, de la plus crasse des finitudes…

Non, non, ne pense pas cela... astaghfirou'llah ! astaghfirou'llah !

… alors qu'ils ont dans leurs prunelles infuses le dol et le vol et l'avidité ordinaire de l'espèce, et le désir de ce que l'autre désire, et le viol et le rapt, et c'est pour sanctifier tout cela, toute cette bassesse, qu'ils font gronder le Ciel et tonner dans le silence les espaces infinis…

Non... astaghfirou'llah ! astaghfirou'llah !

Je ne dois plus penser. Plus penser.

J'ai laissé tout cela à Paris.

Prions.

Ça l'apaisait pendant quelques heures. Il ne pensait plus, effectivement. Ou alors, de façon fugitive, à des scènes triviales, qui n'ont que l'importance qu'on leur prête : un croissant trempé dans une tasse de café au lait, le sourire d'une amie perdue de vue (que faisait, en ce moment, Malika ?), un rendez-vous dans un café parisien – c'était loin, tout cela… Ces souvenirs effilochés, nuages aux couleurs vagues, lui embrumaient l'esprit et lui évitaient de réfléchir…

Ce n'était que partie remise.

— Eh, *Abou Jamal* !

On *l'invitait* à venir assister à une défenestration. Il crut avoir mal entendu. Eh bien, non : on défenestrait, en cet étrange califat, on précipitait *du haut des remparts*… non : du haut des immeubles des jeunes hommes pas assez virils, pas musculeux, pour tout dire efféminés, une question d'hormones paraît-il, une imprécision de la nature, une erreur dont personne n'est responsable…

— Mais ce sont des créatures de Dieu ?

— Tu fais le raisonneur… Chacun est responsable de ses actes.

— Mais…

— Pas de ça chez nous !

L'imam avait précisé : pour réussir une défenestration, il faut un immeuble de quatre étages au moins. La gravitation fait le reste.

Misère… *Tombent ces vagues de briques*...

Abou Moussa al-Alemani, un gros garçon à la barbe blonde (on y croyait à peine, à sa barbe dorée, elle faisait peur à qui ?), Abou Moussa al-Alemani, le genre à s'appeler Dietrich ou Jürgen, avait levé le doigt et demandé, dans un arabe rudimentaire prononcé à la bavaroise, avec un fort roulement des *r :*

— Pourrrquoi quatre étages ?

Il était lent d'esprit. Il fallait tout lui répéter, esquisser des figures en l'air, tracer des mots dans le sable… L'imam avait expliqué posément qu'on pouvait aussi les jeter d'une tour de sept étages, ces chiens d'efféminés, mais que quatre étages était une sorte d'optimum…

Ali crut avoir mal entendu. *Optimum ?* Mais non, il avait bien entendu, l'imam était sérieux, comme toujours, imperturbable *(c'est même à cela qu'on les reconnaît)*, jamais une once d'humour…

L'imam avait été ingénieur, dans une autre vie, dûment diplômé, généreusement salarié au ministère des Travaux publics, à Bagdad, sous Saddam, il avait un bel appartement, une voiture, un *plan de carrière*… Et puis les Américains étaient arrivés, en 2003, ç'avait été violent, brutal, et sur les décombres fumants un certain Paul Bremer, dont il n'avait jamais entendu parler, fut chargé d'édifier un autre pays. On l'avait « épuré », lui le sunnite, membre du Baath, comme cent mille autres… Il s'était réinventé marchand de téléphones portables, vivotant la rage au cœur, crachant par terre au passage des cortèges officiels qui passaient à toute allure devant son échoppe, rabaissé, humilié ; et puis, ultime métamorphose, il s'était laissé pousser la barbe et était venu faire allégeance au calife, n'ayant plus rien à perdre. On l'avait nommé à une sorte de commissariat religieux chargé d'encadrer ceux qui venaient de l'étranger participer au djihad.

C'était une question d'*efficacité*, avait donc expliqué l'ingénieur de Dieu. à partir de quatre étages, on pouvait être sûr qu'ils ne survivraient pas au choc, ces réprouvés, ce n'était donc pas la peine d'aller plus haut…

Plus près de toi, mon Dieu.

L'imam expliquait cela comme on explique le fonctionnement d'un radiateur. Une question de *rendement*. Je vous fais un schéma ? une analyse coûts/ bénéfices ? un bilan ?

Qu'est-ce que je fais ici ?

La phrase apparaissait soudain, grinçante, lancinante, comme une sorte de reproche à lui adressé par un autre lui-même, cet *autre* qu'il croyait avoir laissé là-bas, à Paris…

Cet autre qui s'était pris de passion pour la poésie française, qui en avait appris des centaines de vers par cœur…

Un homme qui me ressemblait vint à ma rencontre

… mais qui était encore bien vivant, cet autre lui-même *(Qui suis-je ?)* au plus profond de son être. Il était double, deux personnes en un corps. Était-ce cela, la folie ? la schizophrénie ?

Il ne pouvait plus se regarder dans les miroirs. Le sentiment d'étrangeté était trop violent.

Et le regard qu'il me jeta / Me fit baisser les yeux de honte

Pas besoin de miroir, d'ailleurs, puisqu'il ne se rasait plus. Deux mains plongées dans le seau d'eau froide, les ablutions, le soir une douche… C'était bien assez.

Qu'est-ce que je fais ici ?

Lorsqu'il regardait, depuis la terrasse du petit hôtel où on l'avait logé, avec les autres « francophones » – ô ironie ! même au cœur du califat, sa tribu, c'était encore la francophonie… –, la ville ocre, poussiéreuse, où l'on défenestrait les invertis, ou prétendus tels, lorsqu'il l'embrassait d'un coup d'œil circulaire, la bourgade, c'était parfois d'autres phrases qui surgissaient.

Cette bourgade sera ton tombeau.

Tu es venu de si loin pour cela… de Paris, la Ville-Lumière, la ville des Lumières… Tu as fait ton choix… Tu en paieras le prix… *compté, pesé, divisé*… c'est ici que tu reposeras. *Elle te fera un blanc manteau*, la poussière…

Tout cela n'avait aucun sens.

Parfois il fermait les yeux et revivait les derniers mois de sa vie fracassée. Il y avait eu cette humiliation dans le bureau du directeur, ce choc suivi d'une sorte de dépression et puis tout était allé très vite…

35

Dépression

Il parcourait les rues de Paris, au hasard, fébrile, agité de tics, en marmonnant dans sa barbe des phrases incompréhensibles. Les gens s'écartaient sur son passage. Malika pleurait en silence quand il rentrait tard le soir, crotté, bredouillant des mots sans suite ou alors irrémédiablement mutique, le regard éteint…

Elle lui répétait les mêmes paroles, ne sachant pas quoi dire d'autre :

— Ali, il faut que tu ailles voir un médecin. Un psychiatre. Ça se soigne, la dépression. Il n'y a pas de honte à avoir… C'est comme une jambe cassée. Tu irais aux urgences si tu te cassais la jambe, tu te ferais soigner, non ?… alors pourquoi pas maintenant ?

Il ne répondait rien. Il n'irait voir personne. à quoi bon ? Ce qu'il ressentait, comment aurait-il pu l'expliquer ? C'était un manteau gris qui était tombé sur toutes ses journées, les couleurs avaient disparu, et les goûts, et le moindre plaisir ; c'était un ralentissement du temps qui en rendait intolérable l'imperceptible passage ; c'était une absence totale d'appétence pour quoi que ce soit, aucune envie de lire ni de regarder un film ni d'écouter de la musique, au point qu'il redoutait dès le début de l'après-midi le moment où il allait falloir aller au lit parce que, s'il arrivait à s'endormir, ç'allait être dans l'angoisse taraudante du réveil, de cet instant désespérant où il allait prendre conscience, de nouveau, de qui il était, de *son nom*, du monde autour de lui, et, par conséquent, de son sort, de sa condition, de la grisaille du long jour à venir, des heures et des minutes qui allaient s'écouler lentement, lentement, comme une torture, tout cela n'aboutissant, le soir tombé, qu'à une nouvelle *mise au lit* ressemblant à une mise au tombeau, épuisé et pourtant incapable de s'endormir ; et ce serait le malheur encore et encore recommencé…

— Ça se soigne, la dépression.

Il n'avait même pas envie de se soigner.

36

Mélancolie d'un monde

« La mélancolie, dans son sens psychiatrique, n'est pas le romantique vague à l'âme des poètes. C'est une véritable psychose dont l'aboutissement fréquent est le suicide. D'où cet aphorisme qu'on apprend sur les bancs de la faculté de médecine : la mélancolie est la seule urgence en psychiatrie.

Ce petit préambule était nécessaire pour évoquer le kamikaze. Qu'est-ce qui conduit un être humain à se faire exploser, c'est-à-dire à se suicider ? Et si le kamikaze était tout simplement un mélancolique, traversant parfois des épisodes maniaques ?

Et s'il était le symptôme du monde arabe actuel ? Le mal pernicieux dont souffre cette grande famille humaine ne réside pas dans la théologie mais dans une mélancolie latente, masquée.

Pris dans l'étau d'un rêve orgueilleux de grandeur, plongeant ses racines dans un brillant Moyen Âge défunt, rêve désormais inaccessible, confronté à un présent sociopolitique médiocre, fait de mauvaise gouvernance, de disproportion abyssale des richesses, de corruption, d'impuissance politique, ce monde-là ne peut que sombrer dans la désespérance et la mélancolie.

En quête d'une solution-miracle, il aura tout essayé, en vain : le nationalisme, le socialisme, la dictature militaire, la religion enfin. Pour revenir toujours au point de départ[1]... »

1. Gérard Haddad, « Mélancolie des peuples », *La Revue* n° 59-60, janvier-février 2016.

37

« Cela vous fera croire et vous abêtira »

Qui l'avait sauvé de la folie ?

Il y avait eu cette rencontre dans la mosquée de la rue Jean-Pierre-Timbaud, cette mosquée semi-clandestine (elle devait grouiller d'indicateurs de police, il s'amusait autrefois à deviner qui étaient les mouchards dans les petits groupes qui s'égayaient dans la rue, après la prière), cette mosquée qu'il s'était mis à fréquenter, sans trop savoir pourquoi, à l'instigation de Brahim.

Malika lui parlait de médecins, de psychiatres, Brahim le prit un jour par la main, littéralement, et l'emmena à la mosquée. *Paumé…* Il était paumé, se disait-il parfois, dans un sursaut de lucidité qui retombait bien vite : les autres, les passants, les vigiles devant les magasins, les hommes-troncs de la télé qui débitaient l'horreur du monde avec un sourire niais, n'étaient-ils pas encore plus paumés ? Leurs certitudes n'étaient-elles pas autant d'illusions ? *Le monde est une vaste scène de brigandage livrée à la fortune.* Nous sommes tous paumés mais au moins je suis, moi, de ceux qui cherchent une boussole.

Oui, c'était cela qu'il marmonnait parfois, en dévalant la rue d'Oberkampf, on le croyait fou, extravagant, non, non, « je cherche en plein soleil », la déraison est votre lot, vous que n'anime nulle quête, c'est vous les inconscients… C'est ça, écartez-vous, fuyez mes regards…

Brahim l'avait donc mené, de force, à la mosquée. Ils y retournèrent plusieurs fois.

— Au moins, ça me fera de l'exercice.

Malgré le manteau gris qui recouvrait le monde, ce genre de phrases surgissait parfois en lui, c'était peut-être ce qu'on appelle l'humour noir, mais il n'y avait pas de quoi rire, elles étaient peut-être cocasses, ces phrases, mais elles résonnaient en lui avec une sorte de réverbération lugubre. Au début, il ne priait pas vraiment, il se contentait de faire les mouvements prescrits, après les ablutions, jetant des coups d'œil furtifs autour de lui pour s'assurer qu'il faisait les choses correctement. Puis il s'était mis à dire les paroles, à prier vraiment, en somme, sans trop y croire. *Abêtissez-vous…*

Brahim lui avait acheté un fascicule sur la prière dans l'une des petites librairies islamiques qu'on trouve en haut de la rue Jean-Pierre-Timbaud, là où elle débouche sur les boulevards de Belleville et de Ménilmontant. Il l'avait lu avec attention. Les instructions étaient détaillées.

Sa lecture fut quelque peu gâchée par le démon qui lui soufflait des impertinences dans l'oreille. (Depuis quelque temps, il s'était persuadé qu'il y avait en lui un *adversaire*. Il l'entendait distinctement donner son avis, commenter insolemment ce qu'il lisait ou ce qu'on lui disait.)

« Mettez-vous face à la *qibla*, c'est-à-dire dans la direction de La Mecque… Priez au moment approprié : les cinq prières se déroulent à l'aube, juste après midi, au milieu de l'après-midi, au coucher du soleil et pendant la nuit. *(Pas de repos pour les gueux.)*

« Mettez votre main droite sur votre main gauche, posée sur le nombril. (Si vous êtes une femme, posez vos mains sur votre poitrine – *c'est bon, je ne suis pas une femme.*) Fixez le sol. Ne regardez ni à droite ni à gauche. Récitez la prière d'ouverture… (Le texte en était fourni, en arabe et, phonétiquement, en lettres latines.) Continuez avec la *fatiha*, la sourate qui ouvre le Coran. (Le texte suivait.) Baissez-vous ensuite, tout en prononçant la formule *Allahou akbar* ("Dieu est grand"). Que votre dos et votre cou soient bien droits et parallèles au sol : ils doivent former un angle à quatre-vingt-dix degrés avec vos jambes.

(Quelle précision ! Pourquoi quatre-vingt-dix degrés ? Pourquoi pas cent vingt ? Il s'ébroua – allons, il faut chasser ces pensées – chasser l'Adversaire.)

« Cette position s'appelle *ruku'*. Dites alors : "Mon Seigneur le plus grand est glorifié."

« Redressez-vous. Levez vos mains vers vos oreilles et dites *sami'a – Allahu – limann – hamida*. Cela signifie : "Dieu entend ceux qui le louent." Laissez retomber vos mains. Prosternez-vous. Posez votre front, vos genoux et vos mains sur le sol tout en disant *Allahu-akbar*. Cette position est appelée *sujud*. Prosterné, répétez plusieurs fois : *subhanna rabbi al-a'la wa bi – hamdi.*

« Relevez-vous. Asseyez-vous sur vos genoux. Mettez votre jambe gauche à plat, du genou au talon. (*On dirait le* Kama-Soutra… Il secoua violemment la tête, les dents serrées.) Votre pied droit ne doit avoir que les orteils sur le sol. (La position était malaisée, il dut s'y prendre à plusieurs reprises pour y parvenir.) Placez vos mains à plat sur vos genoux. Dites : « Seigneur, pardonne-moi. » (*Pardonne-moi quoi ? Qu'est-ce que j'ai fait ?*)

« Prosternez-vous de nouveau. Dites : *subhanna rabbi al-a'la wa bi – hamdi* trois fois ou plus (*plus l'infini…*).

« Redressez-vous. Dites : *Allahu akbar*. Vous avez terminé une *rak'a*. Selon le moment de la journée, vous aurez à en faire jusqu'à trois de plus.

« Concluez votre prière en tournant la tête vers la droite et en disant : *as-salam 'alaykum wa rahmatullahi wa barakatuh*. L'ange qui note toutes vos bonnes actions se trouve de ce côté-ci. Tournez votre tête vers la gauche et répétez la même formule. L'ange qui enregistre vos mauvaises actions se trouve de ce côté-là. La prière est terminée. »

Il faisait tous les gestes, prononçait toutes les paroles, mais le grand vide qui s'était creusé en lui ne se résorbait pas. *Ça ne prenait pas*. Et la présence en lui de l'Adversaire n'arrangeait rien.

Il continua, malgré tout, de fréquenter avec assiduité la mosquée.

Abêtissez-vous.

38

L'Histoire vue par Abou Zayd

Au bout de quelques semaines, un homme qui se tenait d'habitude près de la porte de la mosquée, comme s'il en contrôlait l'accès, s'approcha, murmura un *Salam 'alaykoum !* péremptoire et engagea la conversation. Ce jour-là, Ali était seul : Brahim était au lit avec une sévère bronchite. Après quelques préliminaires – il se présenta et s'enquit de l'identité d'Ali –, l'homme en vint au but.

— C'est bien, mon frère, de faire la prière, mais il faut aussi *approfondir ta religion*, mieux la connaître, mieux la comprendre.

Ali resta silencieux. L'autre insista, lui expliquant les avantages d'une meilleure connaissance de l'islam. De guerre lasse, Ali finit par acquiescer à tout ce que l'autre suggérait. Qu'avait-il à perdre ? Ses journées étaient vides…

C'est ainsi qu'il fut introduit au sein d'un groupe qui se réunissait après la prière du *maghrib*, dans une petite pièce attenante à la grande salle de prière, autour d'un petit homme énigmatique qui ne souriait jamais et dont le regard de braise semblait pénétrer comme une vrille au fond du cerveau de chacun. On l'appelait Abou Zayd.

La parfaite maîtrise de l'arabe classique dont faisait preuve ledit Abou Zayd les subjuguait. Il prêchait en français, avec des mots soigneusement choisis (« glose », « exégèse », « herméneute »...), des expressions un peu précieuses (il disait « orant » pour celui qui est en train de faire sa prière, la « liminaire » pour la première sourate du Coran, « lever de nuit » pour traduire *qiyâm al-layl*, etc.), et puis il passait, sans transition, à la langue du Coran, dont il se servait avec une délectation manifeste, faisant sonner les consonnes, insistant sur le *dâd*, le *d* emphatique (les Arabes ne nomment-ils pas leur idiome « la langue du *dâd* », conférant ainsi à cette consonne-là un statut d'exception, une aura quasi divine ?), plaquant parfois une sorte de mélisme sur l'une d'elles, allongeant à l'extrême certaines voyelles, brayant le *a*, ululant le *u*, et c'était comme si le Prophète était parmi eux. Il suffisait alors de baisser la tête, de fermer les yeux, de s'abandonner pour sentir sa présence. Certains d'entre eux pleuraient, les joues inondées de larmes, d'autres hochaient la tête, la bouche légèrement entrouverte, le regard fixe, hypnotisés.

Abou Zayd poussait alors son avantage. Il avait dû être comédien dans une autre vie, peut-être l'était-il dans celle-ci, le fait est qu'il se lançait parfois dans des gesticulations désordonnées, il sautait sur ses pieds, allait et venait en faisant des moulinets furieux de ses bras, comme s'il combattait un ennemi invisible – le Diable, probablement ; ou, au contraire, c'était en se tenant la tête des deux mains qu'il marchait, en la secouant violemment, le tout accompagné de gémissements sourds, comme s'il faisait des efforts inouïs pour contenir son indignation ou pour échapper aux tentations du Malin et de l'Occident réunis. Et puis il se rasseyait soudain, se taisait, englobait ses ouailles dans un regard menaçant qu'accentuait le khôl dont il enduisait ses cils, tout en tapotant le sol de sa canne. Après quelques instants, il nasillait un verset du Coran et, dans la foulée, grossissant la voix, il fulminait un anathème tous azimuts dans un arabe parfait, parfaitement incompréhensible. Les murs en tremblaient.

Ali était, lui aussi, subjugué. Pour autant, ce ne fut pas cela qui fit sur lui la plus profonde impression. Ce furent les discussions sur l'histoire du Proche-Orient, sur l'histoire des Arabes qui le firent *basculer*.

En effet, Abou Zayd donnait aussi des cours d'histoire. Il commença par s'étendre longuement sur les croisades. Ali l'écouta avec fascination parce que le petit homme en *kamis* apportait un autre point de vue que celui auquel lui, Ali, était habitué.

— Les croisés… *As-salibiyûn !*

Il avait prononcé le mot en français, puis l'avait traduit en arabe, et dans les deux cas, il l'avait craché plutôt que dit. Sa canne commençait à s'agiter.

Soudain :

— Que venaient faire les Occidentaux en Palestine ?

Il avait crié la phrase qui s'acheva dans une sorte de sanglot – on aurait dit que les croisés venaient tout juste d'enfoncer la porte cochère et qu'ils s'apprêtaient à grimper jusqu'à l'étage pour venir lui tirer la barbichette.

Il se calma et reprit un ton didactique.

— Tout part, en fait, de saint Augustin, au IVe siècle. Vous connaissez saint Augustin, n'est-ce pas ? Un Berbère de Numidie… C'est lui qui a défini la « juste guerre ».

Il se caressa la barbe, l'air pensif.

— Hmmm… Hé, hé…

Puis :

— L'Église a adopté cette idée de saint Augustin. Maintenant, je vous pose une question, ô mes frères : quand nous, musulmans, parlons de *djihad*, tout le monde pousse les hauts cris, on nous traite d'agresseurs, de boutefeux, de va-t-en-guerre… Mais !

Il tapa violemment sur le sol avec sa canne. Quelques disciples sursautèrent.

— Mais l'Église a-t-elle aboli la « juste guerre », qui correspond *exactement* à l'idée de *djihad* ? Hein ? Hein ?

La canne s'abattit sur le sol.

— Non ! Non ! Aucun concile, aucun pape n'a jamais déclaré obsolète la « juste guerre » ! Tu sais ce que ça veut dire, « obsolète », Yassine ?

Ledit Yassine se tint coi.

— Ça veut dire : « dépassé, qui n'est plus en vigueur ». Donc, la « juste guerre » est toujours en vigueur, chez les chrétiens. Comme le *djihad*, chez nous. Ce qui est permis pour eux ne le serait pas pour nous ?

C'était une question rhétorique, le regard noir de l'imam ne l'indiquait que trop, et par conséquent personne ne répondit. Il n'y eut que quelques hochements de tête. Abou Zayd, toujours à la recherche d'un effet dramatique, posa un instant sa canne par terre et tapa dans ses mains.

— Et, j'y pense, comment dit-on « juste guerre » en anglais ? Hein ? Qui a fait de l'anglais, parmi vous, au collège ?

Sans attendre, il continua :

— On dit *just war*. C'était l'expression favorite de George Bush !

Il prit un air dégoûté, sortit un mouchoir de sa manche et cracha dedans.

— Bush, qu'il soit maudit, lui et les siens. *Just war !* On y reviendra… Pour le moment, notons ce détail : ces fameux croisés commencent par piller et voler sur leur passage, comme autant de brigands. Ils massacrent même des populations entières !

Il s'arrêta un instant, ouvrit sa sacoche, y prit un papier, le consulta pendant quelques instants puis le posa devant lui.

— Un certain Volkmar, à la tête de dix mille hommes, massacre les Juifs de Ratisbonne et de Prague. Hein ? Des croisés ! Tout cela se fait donc au nom du Christ ! Et on nous accuse, nous, de tuer au nom de Dieu ?

V'lan ! Un coup de canne sur le sol.

— Le prêtre allemand Gottschalk… Oui, un prêtre !

Il s'arrêta, comme frappé par une idée soudaine, sauta sur ses pieds et se mit de nouveau à aller et venir dans la pièce. Il murmura :

— Les prêtres, aujourd'hui, ont l'air gentils…

Sa voix enfla :

— … mais c'est parce que l'Église n'a plus aucun pouvoir ! Quand l'Église était toute-puissante, il y a quelques siècles, ils étaient durs, méchants, impitoyables ! Ne vous laissez pas séduire par leur air doux, leur perpétuel sourire… La charité, ils ne l'ont découverte que lorsque l'Europe est devenue laïque !… lorsque eux, les prêtres, ont perdu la partie !

Il revint s'asseoir.

— Donc, le prêtre allemand Gottschalk conduit une bande de milliers d'hommes qui pillent et tuent en Hongrie avant d'être, à leur tour, massacrés par les Hongrois. Juste rétribution ! Mais où est Dieu, dans cette histoire ? Où est la « juste guerre » ?

Il jeta de nouveau un coup d'œil sur le papier.

— Un certain Emich de Leisingen prend la tête d'une bande de soi-disant croisés et que fait-il ? Il massacre les Juifs dans toutes les villes qu'il traverse : Metz, Trèves, Worms, Mayence et Cologne… Et c'est nous qu'on accuse de persécuter les Juifs !

Les bruits d'une querelle montèrent de la rue. Abou Zayd se leva, alla jeter un coup d'œil en contrebas, puis ferma la fenêtre. Il revint s'asseoir.

— Tous ces gens-là avaient pris la direction de la Palestine à la suite de l'appel d'un pape, Urbain II. Il s'agit du concile de Clermont en… (Coup d'œil sur le papier.) 1095. Le concile promet l'*indulgence plénière* à ceux qui partiront « délivrer Jérusalem ». Vous savez ce que c'est, l'indulgence plénière accordée à un homme ? Eh bien, ça veut dire que l'Église annule toutes les peines dues à ses péchés.

Il glapit :

— Hérésie ! Seul Dieu a le pouvoir de pardonner au pécheur ! Vous voyez bien que les chrétiens, qui avaient reçu de Jésus la vraie religion – *ad-din al-hanîf* –, celle d'Abraham, l'ont pervertie en inventant l'Église… Qui a besoin d'une Église ? La foi et le Livre suffisent !

Il baissa la voix comme s'il voulait souligner un point essentiel :

— En promettant l'indulgence plénière à ceux qui « délivreraient » Jérusalem alors qu'il n'avait pas le pouvoir de le faire, le concile de Clermont mettait dès le départ les croisades sous le signe de l'illégalité, et même : de l'immoralité ! C'est sans doute pour cela qu'elles ont lamentablement échoué, sauf la première, mais c'était un piège posé par Dieu. (Il murmura : « Les mécréants ourdissent des ruses, mais Dieu est le plus rusé.[1] ») Les mécréants qui se précipitaient sur les routes, au cours des croisades, beuglaient « Dieu est avec nous », mais Dieu n'était pas avec eux ! Dieu peut-il être avec les perdants ?

Il avait prononcé la phrase sur un ton sarcastique.

— Pour clore le concile, Urbain appelle la Chrétienté à prendre les armes. Il s'agit de s'unir pour combattre les païens…

Abou Zayd s'interrompit et émit une sorte de sanglot.

— Les païens ! C'est qui, ça ? C'est nous !

Il sauta de nouveau sur ses pieds, empoigna sa canne et piqua un petit sprint dans la pièce, hélas limité par l'irréfutable géométrie du lieu qui ne faisait pas plus de six mètres sur cinq. Plaqué contre le mur, le visage enfoui dans son bras replié, il scanda de coups frénétiques la suite de l'exposé :

— Les païens… (Boum !) Quelle hérésie ! (Boum !) Ce pape ignorant ne savait pas que l'islam est la moins païenne des religions (Boum !), il ne sait pas que c'est justement (Boum !) pour éradiquer le paganisme

1. Le Coran, sourate XXX, verset 30.

(Boum !) que Sidna Mohammad (Boum !) a été envoyé par Dieu ! (Boum !) *Ma-cha'a 'llah !* (Boum !)

— *Ma-cha'a 'llah !* rugit le séminaire.

Abou Zayd aspira profondément, se détacha du mur, revint s'asseoir puis il s'exclama :

— Et en avant ! Hue ! Fouette, cocher ! Toute l'Europe se précipite vers la Palestine ! En route, on massacre, on maraude, on brûle.... On s'en fiche : rémission des peines ! Indulgence plénière ! On tue, on est tué, quelle importance ? Finalement, ce qui reste de ces bandes arrive à destination, et maintenant, je vais vous poser une question très importante.

Il lança un regard impérieux sur ses ouailles et énonça la question :

— Pourquoi la première croisade fut-elle un succès pour les Occidentaux ?

Il se tut un instant et regarda chacun de ses auditeurs, à tour de rôle. Personne n'osa rien dire. Il cria :

— Parce que les musulmans étaient di-vi-sés !

Les disciples hochèrent la tête. Misère, la division... C'est pas bien, ça... L'imam entreprit de développer son idée :

— Les *vrais* musulmans obéissaient au calife abbasside de Bagdad mais les *chiites* (il fit la grimace en prononçant le mot et son regard se fit méprisant) se réclamaient d'un pseudo-califat égyptien du Caire. Les Fatimides... peuh... Cela se passait il y a mille ans mais vous voyez qu'il n'y a là rien de nouveau : ce sont les hérésies au sein de notre communauté qui nous affaiblissent !

Un coup de canne ponctua l'axiome.

— D'ailleurs, il y eut des alliances contre nature pendant cette première croisade. Il faut regarder les choses en face : les chiites ont trahi, une fois de plus. C'est leur nature, c'est dans leurs gènes… C'est d'ailleurs exactement ce qui se passe aujourd'hui : les Américains ont livré l'Irak aux chiites, clés en main, pour services rendus. La croisade de Bush est le reflet de la première croisade. Rien de nouveau sous le soleil !

Il renifla, l'air contrarié, comme si tout cela était dirigé contre sa petite personne, puis il reprit :

— Les croisés ont conquis Jérusalem en 1099. Ce fut un bain de sang. Ces adeptes de la charité chrétienne l'appliquèrent avec équité : tous les habitants de la ville furent massacrés. Ce fut ensuite le tour de Tripoli et de Beyrouth. Finalement, le calife mobilise une armée et c'est ainsi que les musulmans obtinrent leur première victoire à Sarmada, en 1119. Heureusement ! Car quel était l'objectif avoué des croisés ?

— Jérusalem ? demanda Yassine.

— Mais non, jappa l'imam, ils y étaient déjà, à Jérusalem ! (Boum !) L'objectif était Damas ! (Boum !) Comme aujourd'hui François Hollande, ce gros porc, c'est Damas qu'ils voulaient ! Ils essaient de nouveau en 1128 et c'est de nouveau l'échec : quand nous nous unissons, rien ne peut nous battre. Notez ceci : c'est *le maître d'Alep et de Mossoul*, Zinki, qui se révélera l'adversaire le plus implacable des croisés. Or, je vous pose la question, où se trouvent aujourd'hui Alep et Mossoul ?

Il y eut quelques murmures : « La Syrie… L'Irak… »

— Exactement ! Vous voyez, n'est-ce pas ?

Que fallait-il voir ?

— Ça crève les yeux ! Si Alep se trouve aujourd'hui en Syrie et Mossoul en Irak, c'est bien parce que le maître « d'Alep et de Mossoul » vit toujours dans la mémoire des Occidentaux, ils le craignent encore, c'est pour cela qu'ils ont *disjoint* les deux villes : l'une dans un pays, l'autre dans l'autre. Je vous parlerai un jour de Sykes et de Picot...

Il ajusta le col de son kamis, renifla et continua.

— Revenons aux croisades. Les troupes de Zinki reprennent Édesse en 1144. Cette ville était la plus ancienne capitale occidentale en Orient, elle l'était depuis un demi-siècle. Les musulmans s'enthousiasment pour le djihad, Zinki puis son fils Nour-Eddine sont les héros de leur temps.

— C'est fou, murmura Ali, je n'ai jamais entendu parler de ces deux hommes.

Il avait failli dire « ces deux zigotos » mais s'était repris à temps. Abou Zayd, qui avait l'ouïe fine, avait entendu la remarque.

— Mais oui ! Ça ne m'étonne pas ! Tu as subi, comme tout le monde, le lavage de cerveau de l'Occident ! Tes héros, ce sont Charlemagne et Roland, n'est-ce pas ? Voilà ce qu'on enseigne à l'école française... Hein ? *La Chanson de Roland*... Roncevaux...

Il en savait des choses, l'histrion... Il enfla la voix.

— On oublie de dire *contre qui* se battait Roland. *A'oudou bi'llah !* Il se battait contre nous, contre nos ancêtres ! Et ce qu'on n'enseigne pas, non plus, c'est que les Sarrasins contre lesquels il tirait l'épée étaient bien plus civilisés que lui. Roland était un barbare ! Cela, on ne l'apprend pas ici, n'est-ce pas ?.

Ils hochèrent tous la tête. Abou Zayd se recueillit un instant puis reprit son exposé.

— Arrive la deuxième croisade, en 1147. De quoi s'agit-il ? De quelle ville ? Allez, dis-moi, toi !

Il pointa sa canne sur Yassine, qui répondit prestement :

— Jérusalem ?

— Mais non ! Tu ne connais que ce nom-là ? Il s'agit de Damas, encore une fois ! Qu'allaient-ils chercher là ? C'était une agression pure et simple ! La guerre pour la guerre ! Pour la rapine, le vol ! Et c'est nous qu'on traite de sauvages !

Il baissa la tête et émit une sorte de lamentation. Puis :

— Le siège de la ville tourne court. Cette fois, ce sont les croisés qui sont divisés. Chacun son tour ! (Il consulta la feuille.) Les Français de Louis VII et les Allemands de Conrad III ne s'entendent pas. Ils se méfient les uns des autres… Chacun cherche son gain, son profit… Ils lèvent le siège au bout de quelques jours. *Allahou akbar !*

Ils répétèrent en chœur la formule.

— Il y a eu ensuite Salah-Eddine al-Ayoubi at-Tikriti, que les Occidentaux appellent Saladin. Comme vous le savez, c'était un musulman sunnite…

— N'était-il pas kurde ?

— Cela n'a aucune importance, trancha Abou Zayd en se tournant vivement vers celui qui l'avait interrompu. L'ethnologie est une science occidentale. Nous ne connaissons pas d'ethnies : nous sommes tous musulmans. *Masha – Allah !* (Boum !)

De nouveau, ils répétèrent tous ensemble la formule.

— Donc, Salah-Eddine… Même les Occidentaux rendent hommage à celui qu'ils nomment Saladin, pour son courage et son caractère chevaleresque. Il devient le maître de l'Égypte : c'est la fin des Fatimides chiites. *Allahou akbar !*

— *Allahou akbar !*

— Quelques années plus tard, Salah-Eddine est le maître de l'Égypte et de la Syrie. C'est alors qu'a lieu la fameuse bataille de Hattin, en 1187. Vous en avez quand même entendu parler ?

Quelques murmures indécis lui répondirent.

— L'armée de Salah-Eddine barre l'accès aux rives du lac de Tibériade. C'est le seul point d'eau de la région : les Occidentaux, assoiffés – leurs bêtes encore plus – et qui essayaient d'atteindre le lac, se rendent compte qu'ils ne pourront pas l'atteindre. Ils essaient de battre retraite. Impossible : Salah-Eddine bloque la voie de ce côté également. Les croisés ne peuvent forcer le barrage. C'est la débandade. Les chevaliers (Templiers et Hospitaliers) sont décapités. C'est d'ailleurs ce qu'il faut faire, encore aujourd'hui, avec les nouveaux croisés. Il faut suivre l'exemple de Salah-Eddine ! Celui-ci a d'ailleurs tué de sa main son pire ennemi, Renaud de Châtillon. Savez-vous qui était ce chien ?

Yassine leva le doigt, comme à l'école.

— C'est lui qui a inventé la voiture ?

L'imam, stupéfait, ouvrit la bouche en un o parfait, puis il se leva et vint se pencher sur Yassine.

— Tu te moques de moi ?

— Mais non, m'sieur l'imam, je croyais…

Abou Zayd alla se rasseoir, pensif.

— Renaud de Châtillon… Ce chien voulait détruire La Mecque ! *Astaghfirou'llah !*

L'indignation fut générale :

— *Astaghfirou'llah !*

Abou Zayd secoua la tête, jeta un coup d'œil sur son pense-bête, et continua.

— Renaud de Châtillon, « seigneur d'Outre-Jourdain » – c'est comme cela qu'il aimait se faire appeler – avait brisé la trêve qui était en vigueur depuis des années entre Francs et musulmans. Il s'empara d'une caravane qui se rendait du Caire à Damas, en massacra l'escorte – décidément, ils aimaient ça, massacrer… – et emprisonna les commerçants. Salah-Eddine envoya des émissaires à Renaud pour lui demander de respecter la trêve et de relâcher les prisonniers, avec leurs biens. Que répondit le croisé ? Ceci : « Demande donc à *ton* Mahomet de venir les chercher ! »

Un murmure d'incrédulité traversa la petite pièce. Comment pouvait-on ainsi parler du Prophète ? Abou Zayd approuva d'un signe de tête puis il reprit le fil de sa conférence.

— Par la suite, Renaud s'en prit à des caravanes de pèlerins paisibles qui allaient à La Mecque et il jura d'aller jusqu'au bout, jusqu'à La Mecque pour y détruire la Kaaba. Ne méritait-il pas la mort ?

Une sorte de feulement sourd lui répondit. Il leva alors le bras dans un geste conciliant.

— Et ses chevaliers aussi. Cela dit, les autres prisonniers furent épargnés. Sur sa lancée, Salah-Eddine conquiert Naplouse, Jaffa, Nazareth et Gaza, puis Jérusalem. Et c'est là qu'il fait de nouveau preuve de son esprit chevaleresque. Contrairement aux croisés, qui avaient massacré toute la population de Jérusalem en 1099 – hein, vous vous souvenez, on l'a vu tout à l'heure ? –, les musulmans se conduisent avec mesure : aucun massacre, aucun viol, pas le moindre vol : ils laissent même les plus riches des chrétiens s'enfuir avec leur fortune !

Il s'exclama :

— Qui est le barbare ? Qui est le civilisé ?

Il s'arrêta, prit une bouteille d'eau qui se trouvait à côté de lui, à même le sol, et y but quelques gorgées au goulot. Il s'essuya les lèvres du revers de la main droite et murmura quelques mots, sans doute une formule propitiatoire.

— En 1189 commence la troisième croisade. Cette fois-ci, c'est tout l'Occident qui se mobilise : Philippe Auguste, Richard Cœur de Lion et l'empereur d'Allemagne Frédéric Barberousse… Ça ne vous rappelle rien ?

— M'sieur, y a une station de métro, à Paris, qui s'appelle « Philippe-Auguste ». Mes parents habitent pas loin, rue de Charonne.

C'était un jeune garçon un peu niais, les yeux écarquillés, qui avait fait cette réponse incongrue. Il s'appelait Marouan. Abou Zayd sembla hésiter, regardant ledit Marouan avec perplexité, puis il prit une voix insinuante, presque sarcastique, pour répliquer :

— Parfaitement ! Il y a ici une station de métro Philippe-Auguste, et même toute une avenue. Maintenant, je vous pose une question : y a-t-il quelque part un « boulevard Saladin », à Paris ou à Londres (je ne parle même pas de Washington)? Non, n'est-ce pas ? Donc la question se pose : sommes-nous ici chez nous ? On nous parle d'intégration. Et *s'ils* commençaient à intégrer les vrais héros de l'Histoire – Salah-Eddine, par exemple ?

Il y eut de nouveau un murmure général d'approbation. Ali pensa, absurdement, qu'il n'y avait pas non plus de boulevard Napoléon à Paris mais il garda sa réflexion pour lui. Abou Zayd avait repris sa leçon.

— Quand je vous ai demandé « Ça ne vous rappelle rien ? », je voulais vous faire remarquer la chose suivante : Philippe Auguste, Richard Cœur de Lion et Barberousse formaient une *coalition*… Exactement comme aujourd'hui, pour combattre les musulmans, ce sont toujours des coalitions qui se forment, le plus souvent autour du président américain. Rien n'a changé depuis mille ans ! On nous reproche de vivre dans le passé mais ce passé est notre présent.

Il reprit une gorgée d'eau.

— Les Occidentaux assiègent Saint-Jean-d'Acre pendant deux ans et réussissent à prendre la ville en 1191. Que font-ils alors ? Oui, vous l'avez deviné, c'est une manie chez eux : ils massacrent tout le monde, femmes et enfants compris. Imaginez les rivières de sang… Tout cela au nom du Christ !

Il joignit les mains sous son menton et ferma les yeux pendant une bonne minute. Puis il continua.

— Finalement, après de nombreuses batailles, ou plutôt des escarmouches, Salah-Eddine et Richard Cœur de Lion concluent en 1192 un traité de paix. L'un des points les plus importants est le suivant : Jérusalem…

Il se reprit :

— … *Al-Qods* reste sous contrôle arabe mais la liberté de pèlerinage est garantie aux chrétiens. Salah-Eddine a toujours été favorable aux libertés religieuses. Bon, je vous passe le reste. Les historiens occidentaux comptent au total entre sept et neuf croisades. En général, ils s'arrêtent à la septième, celle de Saint-Louis. En fait, les croisades n'ont jamais cessé. George Bush lui-même a utilisé ce mot plusieurs fois. Pourquoi ne pas le prendre au sérieux ? Les croisades que nous subissons maintenant sont les pires.

Il en était arrivé au XXe siècle. Il commença par la Grande Guerre, les exploits de Lawrence, les promesses non tenues… Ali entendit de nouveau parler de Sykes et de Picot, dont il ne savait pas grand-chose une année plus tôt. Abou Zayd détaillait l'infamie : les deux fonctionnaires avaient un jour pris une carte du Moyen-Orient et avaient tracé dessus des frontières, attribuant cette zone-ci à l'Angleterre, celle-là à la France, etc.

— De quel droit ? tonna Abou Zayd, et il tapa violemment de sa canne sur le sol.

Oubliées, les promesses de Lawrence et de McMahon, oublié le « grand royaume arabe unifié ». Et au cœur de ce défunt projet surgit en 1948 l'État d'Israël.

— Le complot était ainsi magistralement achevé ! assena Abou Zayd. C'était la croisade ultime, la fin du rêve arabe. Mais c'était aussi, après l'abolition du califat par le chien Atatürk (qu'il soit maudit !), la fin de l'espoir de réinstaurer le califat sur tous les territoires de l'Islam.

Il se fit pédagogue :

— L'Amérique était vaste et vide. Pourquoi n'ont-ils pas créé là-bas l'État des Juifs ? Pourquoi pas le Montana, par exemple ? Et d'ailleurs, il y avait déjà un État des Juifs : le Birobidjan, en Union soviétique.

Il avait apporté une carte. Il la déplia et leur montra l'endroit, dans l'est de la Russie. Puis il alluma son ordinateur et fit défiler des images idylliques : des rues propres, des bâtiments fraîchement repeints, des parcs, des voitures neuves et, autour de la capitale, de grandes forêts, des lacs, des montagnes.

— Les Juifs ont leur État depuis 1934. Regardez comme il est beau ! On dirait la Suisse ! Quel besoin d'en créer un autre au cœur du monde arabe ? Vous voyez bien que c'est un complot.

Marouan leva le doigt :

— Les Juifs disent que c'est en Palestine qu'ils doivent vivre, c'est leur religion…

Abou Zayd lui coupa la parole :

— Balivernes ! Selon l'orthodoxie juive, ce n'est qu'après le retour du Messie qu'ils devront se regrouper en Palestine. Les juifs ultra-orthodoxes ne reconnaissent pas l'existence d'Israël. Certains soutenaient l'Organisation de libération de la Palestine dans les années soixante-dix : ils étaient tout à fait d'accord pour détruire Israël puisqu'on l'avait édifié avant la venue du Messie. Mais ils n'avaient rien contre le Birobidjan, ils n'auraient rien eu contre un État juif au Montana ! Et ce sont les plus pieux des juifs qui disent cela. Vous voyez bien que la création d'Israël en 1948 était un complot laïc, une *croisade laïque*, contre les Arabes.

Il s'interrompit pour boire une gorgée d'eau.

— L'Occident ne cesse de nous parler des droits de l'homme mais cela fait plus d'un demi-siècle que les Palestiniens vivent sous occupation, sans même parler de ceux qui ont été expulsés en 1948. Les droits de l'homme ? Pas pour les Arabes, ni pour les musulmans…

La leçon était finie. Abou Zayd annonça qu'il allait conduire la prière. Les rangs se formèrent derrière lui. Ali se mit tout au fond, fit les gestes prescrits et récita machinalement les formules.

39

Au cœur des ténèbres (suite)

Tous ces récits s'entremêlaient dans sa tête.

Il était devenu une sorte de robot sans volonté, ou alors il était encore un homme mais emporté par une force surhumaine, entraîné hors de lui, hors de toute raison…

Comment s'était-il retrouvé dans cet appartement du XVIIIe arrondissement où ils étaient une dizaine à vivre en communauté, à s'appeler « frères », à prier ensemble ?

Il n'allait plus à la mosquée. C'était dans cet appartement que se déroulaient ses journées, rythmées par les prières et les « cours » que venait leur donner un homme mystérieux, Abou Hafid, qui leur demandait parfois s'ils étaient « prêts à partir ». Abou Hafid avait pris la suite d'Abou Zayd. Il ne s'agissait plus d'assister sans mot dire à un exposé sur l'histoire des Croisades ou des complots du XXe siècle. Il s'agissait maintenant d'*agir*.

— Êtes-vous prêts à partir ?

Ali ne possédait plus rien qu'une valise pleine d'habits, un téléphone portable, son passeport français, quelques livres. Le reste était demeuré rue des Couronnes, où il n'allait plus.

Oui, il était prêt à partir…

Anywhere out of this *world.*

Il y avait eu ce périple, de Paris à Munich, de Munich à Istanbul, et puis de là on avait pris un car vers l'est de la Turquie et le reste se perdait dans son souvenir, comme dans une brume épaisse, d'autres trajets en voiture, des haltes dans des villages, l'obligation de se taire, de ne jamais dire un mot, il ne fallait pas se trahir…

… puis un jour l'arrivée dans le nord de la Syrie.

Qu'est-ce que je fais ici ?

On l'avait affublé d'un pseudonyme.

— Tu as un fils ?

— Non.

— Si tu avais un fils, tu l'appellerais comment ?

— Je ne sais pas… Jamal ?

— Très bien. On t'appellera donc Abou Jamal al-Maghribi. Tu as fait ton service militaire ?

L'homme s'adressait à lui en français, avec un léger accent qui trahissait l'enfant des cités de la banlieue parisienne.

— Non ? Ni en France ni au Maroc ?

Il avait l'air déçu.

— Il faudra tout t'apprendre.

Ils devaient regarder ces images, cette orgie d'images de guerre, cela faisait aussi partie de la préparation… Abou Jamal tomba rapidement dans l'abîme, il n'était plus que cela, des yeux rivés sur l'écran, fascinés par l'horreur. Il avait le cœur au bord des lèvres, ses mains tremblaient et pourtant son doigt, mû par quel démon, quel djinn ?… appuyait encore et encore *stop ou encore* encore !… et c'était un autre film, d'autres images, des pixels qui sautillaient, soudain mal rangés, ne signifiant plus rien, simulacre coloré du néant, et puis l'image se précisait de nouveau…

Les yeux grands ouverts, il n'était plus que cela, des bombardements, des hurlements, des enfants tués, faces de plâtre, inertes, des femmes gisant dans les décombres, yeux vides, des vieillards, bouches édentées, ouvertes, obscènes, comme autant de cris hachés net, et les nus et les morts et les ensevelis et ceux dont le corps s'offrait au monde dans une hideuse protestation. « Autrefois c'étaient les Russes qui massacraient en Afghanistan, ensuite les Américains ont pris le relais, mais c'est toujours nous, les musulmans, qui mourons, "accidentellement" bien sûr, les enfants qu'on tue, on les avaient pris pour des insurgés, commentait, sarcastique, la voix, et les femmes aussi et les ancêtres… Tu ne fais rien, on te tue quand même, pour ce que tu es, alors insurge-toi et meurs ! »

Le doigt tremblote appuie sur la touche. *Le Doigt mouvant écrit et, ayant écrit, / Passe…* L'Histoire est irréversible. Ce qui a eu lieu a eu lieu… *ni toute ta piété, ni tout ton esprit / Ne sauraient le tenter de revenir effacer la moitié d'une ligne…*

Sur l'écran… Mauvais cadrage, déplacement des caméras, persistance des pixels, qu'importe, ces images sont maintenant au plus profond de l'âme d'Abou Jamal, elles sont son âme maintenant…

Le voilà maintenant en zone de guerre, à quatre mille kilomètres de chez lui…

… mais c'est où, *chez lui* ?

Si c'était ici ?

Ici, cette société, ce quotidien familier, cette internationale du djihad, cette constellation d'astres voués à la mort, meurtriers entre-temps, dont mille images multiplient la lumière noire sur la Toile où se prendront cent mille lucioles qui viendront relever la garde tombée dans ce combat sans fin…

Il avait quitté Paris, avec d'autres. Sans regret, pensait-il. N'était-ce pas le lieu de son humiliation ? Ils avaient débarqué à Istanbul, un soir de grisaille. Grâce au réseau d'Abou Hafid, ils avaient pu franchir sans encombre la frontière turco-syrienne.

Il avait appris à mieux connaître ses compagnons de voyage. Les langues s'étaient déliées. Et il avait été vite consterné.

Qu'est-ce que je fous ici ?

On parlait sans fin du Moyen-Orient, sans y comprendre grand-chose, mais il y avait là tous les ingrédients du récit arabe, Lawrence, Balfour, les guerres…

… il y avait aussi les fameuses *'alamât as-sâ'a*[1], annonciatrices de la fin des temps, de l'avènement du Royaume des cieux…

… et puis des griefs terre-à-terre :

« J'ai fait un BTS compta. Après, tous les Français de souche, les Gaulois, quoi, ils ont trouvé un taf… Moi, l'Arabe de la classe, j'ai pas trouvé de travail, rien… »

---

1. « Les signes de l'Heure. »

« Moi, c'est pareil. La goutte d'eau, tu vois, c'est quand les flics m'ont tabassé sans raison, un soir, à la sortie du métro… Là, je me suis dit, ma parole, je suis pas chez moi, ici, je vais tous les niquer… »

Très peu de religion, en somme…

À leur arrivée, ils sont pris en charge par un dénommé Abou Amar al-Faransi. Il s'appelait Kevin, dans une autre vie, il finira par le révéler un jour, avec une petite grimace, comme s'il évoquait un épisode peu glorieux de son enfance.

C'est le premier « converti » qu'Ali rencontre. Il le regarde avec curiosité. Qu'y a-t-il derrière ce regard bleu ?

Kevin a grandi dans les quartiers nord de Marseille. Il faisait partie d'une bande de délinquants où se mêlaient toutes les couleurs de peau, il a été condamné à plusieurs reprises pour de multiples délits, il a connu la prison… Et puis un jour, au grand étonnement de sa mère, il avait ajusté une calotte blanche sur son crâne, s'était laissé pousser la barbe et avait commencé à la traiter, elle sa mère, de mécréante. Il lui reprochait de sortir « en cheveux » dans la rue, il lui promettait les feux de l'enfer. Il avait trouvé sa voie, celle du Prophète, et s'était mis à fréquenter une mosquée où officiait un imam salafiste. Son parcours l'avait mené ici, au cœur du califat.

Kevin-Abou Amar les soumet à un entraînement intensif qui doit leur permettre d'intégrer une *katiba*, une brigade. Ali apprend à franchir une succession d'obstacles le plus rapidement possible puis à piquer des sprints, lesté d'une charge qui lui cisaille le dos. Ce sont parfois des poutres ou des troncs d'arbres sous lesquels il faut ramper, puis il faut se redresser, le coup de sifflet de l'instructeur est impérieux, escalader un mur ou des filets kaki, se jeter de nouveau au sol, passer sous des barbelés, sauter sur ses pieds, hurler le nom de Dieu (au nom de qui tout cela semble se faire) et se ruer les poings serrés contre une sorte de mannequin qui figure l'ennemi, un ennemi étrangement passif, déjà mort. Ali a un goût de terre dans la bouche, il transpire, tous ses muscles le font souffrir…

Après cette courte période de formation, Kevin-Abou Amar lui annonce que, tout compte fait, il ne va pas être affecté à une unité combattante.

— Je ne suis pas à la hauteur ?

Non, non, ce n'est pas le problème, mais l'État islamique utilise chacun selon ses capacités, et il est, lui, un spécialiste de l'informatique, on a vérifié, c'est vraiment un pro, il va donc se charger d'une partie des systèmes de communication, c'est aussi une façon de combattre *dans le chemin de Dieu*.

— Dans ce domaine aussi, nous sommes en guerre contre le monde entier. Les meilleurs spécialistes américains, français et israéliens essaient de pénétrer nos ordinateurs, d'y implanter des virus, de copier nos informations… Mais nous avons une équipe de très haut niveau, ici, des Pakistanais, des Marocains, des Russes musulmans, qui déjouent tous les plans des mécréants. Tu vas faire partie de cette équipe.

Il fait mine d'être contrarié, il baisse la tête, mais au fond, il est soulagé. *Qu'est-ce que je fais ici ?* Ce que je faisais à Paris : de l'informatique de haut vol… J'ai peut-être en face de moi des camarades de promo.

Il est à Raqqa, ville de deux cent mille habitants, dans l'est de la Syrie. Il partage un appartement avec d'autres Français d'origine maghrébine. De nouveau, il est consterné. *Ça vole bas*... Il y a là des malfrats, des petites frappes, d'anciens braqueurs, des ratés... Ils truffent leurs propos d'expressions religieuses mais c'est le langage des cités qui prédomine.

Le soir, c'est complètement surréaliste, ils regardent des matches de football. C'est la fête quand c'est la Ligue des Champions... C'est curieux, aucun imam ne vient les tancer, leur parler d'opium du peuple (le football...). Peut-être s'en accommodent-ils, les imams ? Peut-être admirent-ils, eux aussi, les exploits de Messi ?

Ce monde est absurde.

Entre fans du PSG, on s'entend bien... Un certain Sabri, qui ne jurait que par Ibrahimovic, lui raconta son périple. Un vol Barcelone-Istanbul avec un certain Raphaël, qui s'était converti à l'islam quelques années plus tôt. Pourquoi Barcelone ? Aucune idée. Leur recruteur, un imam de Bondy, leur avait donné les billets d'avion et de l'argent liquide avec des instructions précises.

Ils s'attendaient à des difficultés en passant les contrôles à l'aéroport d'Istanbul : deux jeunes hommes arborant chacun un filet de barbe qui aurait dû signaler l'islamiste, l'un de « type maghrébin », l'autre Breton aux yeux clairs, voyageant ensemble, baragouinant dans un anglais sommaire d'évasives réponses aux questions qu'on leur posait, pas clairs sur leur destination, pas vraiment l'air d'être venus visiter le palais de Topkapı ou Aya Sofia... ça doit être suspect, non ?, s'étonnait Sabri. Mais ils sont des millions à venir en Turquie chaque année, avait-il appris, c'est un grand pays touristique, ou alors les Turcs ont des plans retors, il paraît qu'ils soutiennent en douce le califat (vraiment ?), oui, tu comprends, ils se méfient des Kurdes, et puis les Turcs sont sunnites comme les gens de Daesh (« Mais les Kurdes aussi sont sunnites ! »), ah bon ?… on comprend mal la géopolitique quand on a vingt ans, Sabri s'emmêlait dans ses histoires, se grattait la barbe – un tic –, se taisait un instant, puis revenait à ses moutons : Raphaël et lui n'avaient eu aucune difficulté à franchir les contrôles, à Istanbul, ni à trouver le petit hôtel où les attendait Bilal, un colosse noir, mutique, qui avait grandi à Saint-Denis et qui se chargeait d'escorter les nouveaux arrivants jusqu'à la frontière syrienne.

Là, deux hommes aussi taiseux que Bilal les avaient pris en charge et c'est ainsi qu'ils étaient arrivés à Raqqa, un matin, mal réveillés, les yeux rouges mais saisis d'un sentiment d'exaltation qui leur soulevait la poitrine – du moins était-ce là l'impression de Sabri, le genre de p'tit gars, jugea Ali, qui étend immédiatement à l'univers la moindre de ses perceptions.

Sabri et Raphaël apprirent ensemble le maniement des armes mais leur instructeur émit un jugement négatif sur leurs compétences guerrières. Le premier fut affecté à une unité de réparation des véhicules (« J'suis mécanicien à c't'heure, c'est pas vraiment ce que je suis venu faire ici, j'aurais pu rester à Bondy… »). Le second, grâce à ses études en informatique, fut d'abord chargé du planning des combattants (« Ça veut dire quoi ? », « J'sais pas, tu demanderas… ») puis il rejoignit la branche française des médias de l'État islamique (« Ça s'appelle vraiment comme ça ? »). Il traduisait les vidéos de propagande de Daesh pour les mettre à la disposition des francophones. C'était une excellente recrue : précis, concentré, il passait ses journées sur les ordinateurs dont il avait la charge et ne s'interrompait que lorsque l'heure de la prière collective avait sonné.

— Je ne vais pas rester mécanicien toute ma vie, conclut Sabri, un jour je prendrai les armes et j'irai me battre, moi aussi. Attends, la deuxième mi-temps vient de commencer, je suis sûr qu'Ibra va marquer.

Quelques jours après cette discussion, Sabri et Raphaël moururent tous deux dans un bombardement de l'armée syrienne. Les services de renseignements français perdirent ainsi un précieux agent : « Raphaël ». On lui décerna discrètement, à titre posthume, la médaille de chevalier de la Légion d'honneur.

Lorsqu'il apprend la nouvelle de leur mort, Ali n'éprouve aucune émotion. Il en est le premier surpris. Est-il déjà dans l'au-delà, un mort-vivant que la faucheuse n'impressionne pas ?

De nouveau, ce sentiment familier d'étrangeté…

Et puis, à force de lire, de réfléchir, de rencontrer des hommes de tous horizons, il finit par comprendre.

Décidément, non : il n'est pas engagé dans une guerre de religion. Il est pris dans un conflit ethnique où des idiots utiles servent de chair à canon. Au fond, c'est sunnites contre chiites. Et lui au milieu.

L'Adversaire ricane :

— Tu tiens la chandelle.

Il essaya d'en discuter avec un Albanais qui avait l'air plus mûr, plus réfléchi que les autres « combattants ». Les habitants, ici, sont tous sunnites. N'est-ce pas pour cela que nous sommes plutôt bien acceptés ? Mais ne sommes-nous pas en train de combattre pour eux, à leur place ? Et puis finalement, cette grande querelle (sunnites contre chiites) n'est-elle pas sans objet ? Tout est parti d'un banal désaccord entre ceux qui voulaient la succession pour Ali et les autres… Ça se passait il y a quatorze siècles ! En quoi cela nous regarde-t-il aujourd'hui ? L'Albanais l'écouta sans mot dire puis marmonna quelques mots : ça ne servait à rien, ce genre de discussion.

Le lendemain, trois hommes vinrent le voir dans l'appartement où il vivait. Ils demandèrent aux autres « frères » de sortir et il fut soumis à un interrogatoire poussé.

Pourquoi posait-il autant de questions ? Avait-il voulu « ébranler la foi » de l'Albanais ? D'où tenait-il les informations dont il s'était servi ? Avait-il eu la même discussion avec d'autres miliciens ? Si oui, avec qui ? Éprouvait-il des sympathies pour les chiites ? y avait-il des chiites dans sa famille ? Mettait-il en doute les directives du calife ?

Ali était assez lucide pour comprendre qu'il était dans une situation dangereuse. Il s'efforça de fournir des réponses claires. Il n'avait rien fait de mal, il n'avait fait que discuter, sans mauvaise intention, sans plan préconçu, parce qu'il était à la recherche de la vérité, parce qu'il fallait, n'est-ce pas, « chercher le savoir, fût-ce en Chine ». Il s'excusait, se repentait s'il s'était trompé.

Les trois hommes finirent par s'en aller, après que leur chef lui eut fait la leçon. Ne réfléchis pas trop, fais tes prières et fais ton travail.

Il est interdit de douter.

40

Paris, 13 novembre 2015

Et soudain…

Soudain, il y eut ce vendredi 13 novembre 2015, là-bas, à Paris.

Des mains enfiévrées le réveillèrent, le secouant sans ménagement, on criait de joie, on lui désignait l'écran. Pendant des heures, fasciné, il regarda les images que diffusaient les chaînes de télévision, en boucle.

Chaises renversées, vitres brisées, vies fracassées, petites flaques comme si des seaux d'eau s'étaient déversés sur les mégots morts, pourquoi des seaux d'eau ?… on s'accroche absurdement à ces petits détails, à des questions minimes, pour croire désespérément que la vie continue… mais non, il comprit (sans vouloir rien comprendre, il n'était que regard exorbité) que c'était les consommations, les verres de vin ou de bière, les cocktails qui s'étaient répandus sur le trottoir… Obscène, grand désordre…

Il n'était plus qu'œil et main, celle-ci frénétique s'acharnant sur la télécommande.

Et c'était d'autres images. Irruption de la tragédie, de la mort au *Bataclan*, la mort par balle, par rafales de métal, les Eagles of Death Metal s'arrêtant, médusés, de jouer, le batteur en premier, ou était-ce le guitariste, qu'importe, fuyant dans les coulisses, qu'importe, plus rien n'a d'importance quand c'est elle, la Faucheuse, qui mène la danse, et on dit bien, n'est-ce pas, qu'ils furent fauchés dans *la fleur de la vie*, ou est-ce *la fleur de l'âge*, c'est la même chose, ça se mélange, il n'a plus le temps de penser, tous ces jeunes gens, tant et tant qui ne demandaient qu'à vivre…

Cet homme, un journaliste apprendra-t-on, qui se penche de sa fenêtre, laquelle donne sur une ruelle où des gens gisent sur le trottoir, d'autres sortant d'une porte latérale du *Bataclan*, et qui demande d'une voix forte, un peu angoissée :

— Que se passe-t-il ? Mais que se passe-t-il ?

Le *Bataclan* ? Ali, les yeux rivés sur l'écran où défilaient, implacables, les images, murmurait les trois syllabes de la même façon qu'il l'avait fait, deux ans plus tôt, au cours de sa première soirée dans ce que les journaux nommaient immanquablement « un lieu parisien branché », mais c'était alors avec amusement, avec malice, qu'il susurrait *ba ! ta ! clan !* dans l'oreille de Malika alors qu'ils descendaient tous deux, à vives enjambées, la rue d'Oberkampf, en direction de l'intersection que font les boulevards Richard-Lenoir et Voltaire, c'était là que Malika l'avait invité pour son premier concert de rock parisien ; au *Ba-ta-clan…*

… où le temps venait de s'arrêter pour des dizaines d'hommes et de femmes qui lui ressemblaient, il s'en rendait compte maintenant, bien plus que ces abrutis (le mot lui vint aux lèvres, ce serait plus violent dans quelques instants, c'est « salauds » qui s'imposera), ces abrutis qu'il côtoyait depuis des mois.

Cela dura des jours. D'autres images venaient s'ajouter à celles qui s'étaient gravées pour toujours dans sa mémoire

Ce petit « italien » de la rue de la Fontaine-au-Roi, *Casa Nostra*, combien de fois n'y avait-il pas déjeuné ou dîné avec Malika, avec des amis, seul à l'occasion… Ils s'amusaient à l'appeler *Casa*, c'était des « On se retrouve à *Casa* vers huit heures ? », comme s'ils se donnaient rendez-vous dans la grande ville marocaine d'où la plupart d'entre eux venaient, où ils avaient fait leurs études..

Casa Nostra… Cosa *Nostra*... Combien de fois n'y avaient-ils pas joué à être Don Corleone, impavide, l'œil lourd soupesant l'homme qu'il s'agit d'effrayer ou de circonvenir, « je vais te faire une offre que tu ne pourras pas refuser », combien de fois n'y avaient-ils pas pris des poses de maffieux prétendument copiées sur De Niro ou Pacino, outrancières, caricaturales, et puis ils avaient répété les répliques cultes des *Affranchis*, « J'ai toujours rêvé d'être gangster… », mais c'était pour rire, tout cela se disait dans la bonne humeur des vendredis soir de Paris, ou des samedis, quand le poids de la semaine se transmue en une douce exaltation, en léger bonheur de vivre, dans l'écume insouciante des soirées…

Casa Nostra...

Sentiment d'irréalité quand c'est à la terrasse de ce même restaurant qu'une femme s'effondre, qu'un homme accouru de l'enfer pointe sur elle son arme d'assaut (en pleine ville, en pleine absurdie…), c'en est fait d'elle,… et puis non, rien, on n'entend rien, on ne voit pas le petit éclair de lumière, le flash létal qui signale le coup de feu, la mort donnée sans raison (de qui s'autorise-t-il ?… de lui-même ?… d'un dieu mortifère ?… du néant auquel il aspire ?), rien, on n'entend rien, on ne voit rien, l'arme s'est-elle enrayée, refusant, ulcérée, de *servir* ?… ou bien l'homme, l'assassin, le *terroriste*, sortant de sa transe, a-t-il reconnu dans la femme à terre un être humain tremblant, *le flanc frémissant de la biche*, sa main a-t-elle refusé l'ordre donné par le cerveau, ou bien est-ce le cerveau lui-même qui s'est *enrayé*, quelque chose en lui se bloquant parce que deux regards se sont croisés, l'un éperdu, éploré, l'autre en surplomb, maître de l'heure, souverain, mais soudain incertain, le temps d'un battement de cils, soudain ébréché, fêlé, comme si ces yeux-là, à terre, ces prunelles bleues s'ouvrant sur la nuit tombée et son horreur, avaient trouvé le défaut de l'armure ?… On n'entend rien, on ne voit rien… Cela dure une éternité et ce n'est qu'une seconde, et l'homme s'éloigne enfin, la mort a passé et rien ne s'est passé, Ali en a la gorge sèche, la femme se relève, trébuche, titube, fuit, cherchant d'instinct un abri contre la folie qui vient de s'abattre sur la ville… Les images tressautent, en noir et blanc, c'est maintenant autre chose… et puis, elles reviennent, les images prises par la caméra de sécurité de *Casa Nostra*… et c'est la mort, la mort, *toujours recommencée*…

Il s'aperçut que des larmes coulaient sur ses joues, certaines se perdaient dans la commissure des lèvres, apportant à sa bouche leur goût de sel.

Il pleurait. Cette femme, ç'aurait pu être Malika, elle le fréquentait, ce restaurant, et si c'était elle ? C'était la même silhouette... Il faut que je l'appelle, il faut que j'en aie le cœur net... Et ses autres amies ? Et mes amis ?

Ce fut comme s'il se réveillait d'un très long sommeil.

SALAUDS ! SALAUDS !

Lui qui ne pleurait jamais, il s'en faisait une fierté (un vrai homme, un dur, un tatoué !), voilà que l'effroi et le chagrin le submergeaient.

Il leva les yeux. Il dut les fermer puis les ouvrir plusieurs fois avant de pouvoir distinguer dans la pénombre les objets qui meublaient sa chambre. Ces drapeaux noirs qui n'annonçaient que la mort, ces slogans de haine...

Qu'est-ce que je fais ici ?

Il se leva, alla à la fenêtre, se pencha un peu pour mieux embrasser du regard la ville endormie et son orbe obscur, et l'horizon menaçant et le ciel où ne brillait aucune étoile. Son cœur se serra. Ces salauds pouvaient dormir paisiblement, leur œuvre *là-bas* était accomplie. Malika était-elle morte ? Vivait-elle ?

Et puis il y eut le communiqué.

Huit frères portant des ceintures d'explosifs et des fusils d'assaut ont pris pour cible des endroits choisis minutieusement à l'avance au cœur de la capitale française, le stade de France lors du match des deux pays croisés la France et l'Allemagne auquel assistait l'imbécile François Hollande, le Bataclan *ou étaient rassemblés des centaines d'idolâtres dans une fête de perversité ainsi que d'autres cibles dans le dixième, le onzième et le dix-huitième arrondissement. Cette attaque n'est que le début de la tempête...*

C'est ce jour-là qu'il décida de tout quitter et de rentrer *chez lui.*

Il savait maintenant où cet endroit se trouvait.

41

À la mort

La nuit qui précéda sa mort / Fut la plus courte de sa vie.

Cette nuit-là, Ali ne put fermer les yeux. Tout se mélangeait dans son cerveau, les images des carnages de Paris, celles d'avant, du bonheur partagé rue des Couronnes, quand la vie était simple et belle, et puis ce long cauchemar, cette descente aux enfers qu'il vivait depuis un an. Il s'assoupissait quelques minutes, puis se réveillait en sursaut. Où était-il, *qui* était-il ? Tout revenait soudain, comme une avalanche de sons, de formes et de couleurs, et il lui fallait du temps pour donner un sens à tout cela – et ce sens se réduisait finalement à une évidence : *il faut que je parte, il faut que je rentre…*

Au petit matin, harassé, il se leva, alla prendre son sac à dos au-dessus de l'armoire, y fourra quelques vêtements, son passeport, tout l'argent liquide qu'il possédait, puis revint s'asseoir sur son lit, pour réfléchir.

Mais il n'y avait plus à réfléchir. C'était décidé. Il allait rentrer chez lui, à Paris. Retrouver Malika. (La reconquérir. N'avait-il pas un profil de conquistador ? L'expression flatteuse lui revint en mémoire.) Tout cela n'avait été qu'un mauvais rêve. Il était réveillé, maintenant. Il était de nouveau lui-même, pas ce double étrange, ce *dibbouk*, qui s'était emparé de son corps dans la rue Jean-Pierre-Timbaud, dans ce XXe arrondissement si coloré, si vivant, et qui l'avait conduit ici, dans cette ville qui ne lui était rien.

Allons ! Il faut partir. Il empoigna son sac et sortit de la chambre. Dans le couloir, il rencontra Abou Fâdel, un Tunisien qui avait rejoint son groupe quelques semaines plus tôt. Le Tunisien s'étonna :

— Tu n'es pas venu à la prière du *fajr*[1] ?

Ali ne répondit pas. Tout cela lui semblait loin, maintenant. Il était déjà ailleurs, dans une ville où personne ne lui poserait des questions aussi incongrues, où le *fajr* était le royaume des éboueurs et des chats errants et où il pourrait dormir tout son soûl. L'autre, qui s'était mis devant lui, l'empêchant de passer, continuait son interrogatoire :

— Qu'est-ce que tu fais avec ton sac à dos ?

— Je m'en vais.

Abou Fâdel écarquilla les yeux.

— Tu t'en vas où ?

— Je rentre à Paris.

Le Tunisien semblait aller de surprise en surprise.

— Et tu as la permission ?

— Quelle permission ? Je suis venu de mon plein gré, je m'en vais, point. Écarte-toi, s'il te plaît.

1. « L'aurore. »

Il repoussa fermement le Tunisien, qui n'opposa aucune résistance, et descendit dans la rue. Il savait qu'en dépit du chaos ambiant, des bombardements, de la nervosité générale – la bataille de Ramadi était engagée –, il y avait un autobus qui partait chaque matin en direction de l'ouest. C'était l'unique façon de quitter Raqqa. Bon, il le prendrait et puis se débrouillerait pour passer en Turquie. Il palpa machinalement la poche de son blouson : le passeport était là. Et il avait assez d'argent pour faire le voyage.

À la gare routière, il chercha un guichet ouvert. Un vieil homme hébété lui indiqua un autobus bleu dont le moteur ronronnait déjà. Il fallait acheter le billet de transport auprès du chauffeur. Celui-ci refusa de le laisser monter : il devait obtenir une autorisation spéciale avant de pouvoir acheter le billet. Il retourna au guichet et demanda au vieil homme si c'était lui qui délivrait les autorisations. Le préposé le regarda un instant, lui fit répéter la question – peut-être était-il dérouté par l'accent marocain de Ali – puis lui indiqua un banc sur lequel il pouvait attendre que son cas fût examiné. Ali alla donc s'asseoir sur le banc, après avoir posé son sac à dos par terre. De temps en temps, il se retournait pour jeter un coup d'œil sur l'autobus. Lui aussi semblait attendre. Il faisait très beau, ce matin-là, tout avait l'air paisible alors que la mort rôdait partout… Il y avait peu de miliciens dans les environs : la plupart étaient au front.

Au bout de quelques minutes, trois hommes armés et vêtus de treillis militaires surgirent dans le bâtiment, regardèrent autour d'eux, puis se dirigèrent vers Ali au pas de course. Celui qui semblait être leur chef se planta devant lui. C'était Abou Moussa al-Alemani, le gros Allemand à la barbe blonde. Il s'adressa à Ali dans son arabe rudimentaire, rendu presque incompréhensible par son accent bavarois.

— Où vas-tu ?

Ali ne savait que répondre. Paris ? C'était le but ultime mais, en attendant, il ne voulait qu'une chose : partir d'ici. L'autre, haussant la voix, répéta :

— Où vas-tu ?

Ali répondit qu'il voulait aller en Turquie. Il était trop fatigué pour inventer une histoire. Abou Moussa resta immobile un instant puis il se baissa prestement, malgré son embonpoint, et se saisit du sac à dos. Il fit signe aux deux miliciens qui empoignèrent Ali, le soulevèrent du banc et lui passèrent des menottes.

Entre-temps, un autre groupe de miliciens était entré dans le bâtiment. Ils restaient à distance. L'Allemand alla les voir et, bientôt, il était en grande conversation avec un homme roux, un Tchétchène, qui semblait être leur chef. Le Tchétchène finit par hausser les épaules et la petite troupe s'en alla. L'un d'eux se retourna et cria quelque chose en direction d'Abou Moussa. Ali crut entendre les mots « Fais vite ! ».

L'Allemand revint et lui intima l'ordre de se lever.

— Suis-moi !

Les deux miliciens restèrent dans la gare routière, le sac à dos à leurs pieds. Abou Moussa, poussant Ali devant lui, lui donnait des petites tapes pour lui indiquer de tourner à gauche ou à droite. Ils marchèrent pendant quelques minutes le long de la rue de la Poste puis tournèrent à droite et entrèrent dans une sorte de hangar à peu près vide. Dans un coin, quelques machines-outils, poussées les unes contre les autres et recouvertes de grandes bâches transparentes, formaient un troupeau métallique, immobile, vaguement menaçant. Du plafond, à travers des vitres sales, tombait une lumière blafarde. Le sol était jonché de détritus.

J'ai l'impression de connaître cet endroit.

L'Allemand le conduisit jusqu'au fond du hangar et lui indiqua un robinet qui surplombait un minuscule évier :

— Lave-toi le visage !

Ali se pencha et, de ses mains jointes, il parvint à ouvrir le robinet. Un mince filet d'eau en sortit. Il s'aspergea de quelques gouttes. L'Allemand se mit à parler d'une voix lente, chargée de mépris.

— J'ai toujours su que tu étais un *mourtadd*, un renégat. Qu'es-tu venu faire ici ? Dès le début, on t'a surveillé. Tu fais la prière du bout des lèvres, comme si tu n'y croyais pas. Tu n'as jamais voulu combattre, tu n'as jamais voulu participer à une exécution… Tu nous prends pour des idiots ? On a compris, dès le début. Tu as voulu retourner l'Albanais. Là, on a compris. Tu es un agent des services français ou des services marocains. Ou des deux. On contrôlait derrière ton dos tout ce que tu faisais avec les ordinateurs. Entre nous, tu es assez nul, comme agent… On t'a repéré le premier jour. Si c'est sur des types comme toi qu'ils comptent pour nous vaincre…

Il cracha par terre.

— Et maintenant, fais ta dernière prière, conclut-il sur un ton placide. Tu vas mourir. Mais ce n'est pas grave : la vie n'est qu'une sensation. Ça passe.

Il posa son revolver sur le front de son prisonnier qui le regardait, l'air égaré. C'était un cauchemar. Il allait bientôt s'éveiller.

Je sais où je suis. C'est le hangar… Oui, c'était le hangar dans lequel se déroulait la plus grande partie du film *Reservoir Dogs*. Un immense espoir emplit son cœur, il ressentit une bouffée de chaleur dans sa poitrine. Il le connaissait bien, ce film. Ce qui allait se passer maintenant, il le savait : l'Allemand allait lui révéler qu'il était un policier… ou plutôt, un agent des services allemands infiltré dans l'armée du Califat. Il allait se débrouiller pour libérer Ali, pour l'*exfiltrer*, puisqu'il voulait s'en aller, tourner le dos à cette guerre qui ne le concernait pas… N'était-ce pas dans ce but qu'il avait tenu à venir seul avec lui, ici, alors qu'il y avait les deux autres miliciens et tout le groupe du Tchétchène ? Abou Moussa aboya :

— Fais ta prière ! *Schnell !*

L'ordre avait fusé, en allemand.

Que se passait-il ? Pourquoi l'Allemand ne jouait-il pas le jeu ? Et si… Ali ferma les yeux.

Un rayon blanc, tombant du haut du ciel, anéantit cette comédie.

Sa dernière pensée fut double comme le fut sa vie, mélangée, brutalement confuse, hybride, car il vit en même temps, tracées en lettres de feu à l'intérieur de ses paupières closes, pendant que le coup de feu retentissait, fracassant, deux phrases superposées :

... comme un chien…

et

Tuez-moi, ô mes compagnons, c'est dans ma mort que se niche ma vie !

… et il n'eut pas le temps de s'étonner, ou de s'émerveiller, que le sursaut final de son existence, son ultime souffle, mêlât l'atroce conclusion d'un roman publié à Berlin en 1925 et les paroles désespérées, ou *folles* d'espoir, d'un mystique crucifié à Bagdad mille ans plus tôt, en 922, comme si les deux frères siamois qui en lui cohabitaient s'étaient enfin réconciliés ; et il mourut.

Et il n'y eut plus rien.

42

L'effroi et le chagrin

Il faisait encore doux à Paris, ce vendredi soir, et le temps s'écoulait sans hâte dans ce paisible entre-deux qui sépare le rythme trépidant d'une semaine de travail et la promesse de deux jours d'accalmie. Claire fumait une cigarette à sa fenêtre, rue Marie-et-Louise, quand la première rafale crépita. Il était à peu près neuf heures et demie et elle s'apprêtait, le cœur en fête, à aller prendre un verre avec des amis, boulevard Voltaire, puis à finir la soirée « en boîte ». Elle se pencha, amusée.

— Tiens, des pétards ? L'Italie a encore gagné un match ?

Des Italiens se retrouvaient parfois au *Carillon*, les soirs de grand match. Elle se pencha un peu plus, intriguée, et ce qu'elle vit, sur sa gauche, la stupéfia. La placette, où se croisaient trois rues de cet arrondissement « branché », semblait être devenue le décor d'un film d'action. Des hommes et des femmes couraient dans tous les sens, pris de panique, certains tombaient lourdement, se relevaient ou se traînaient sur la chaussée en gémissant. Elle entendit alors des coups de feu, une rafale de mitraillette, des bruits de vitre brisée, et de nouveau des cris et des hurlements. Abasourdie, ne comprenant pas ce qui se passait, n'ayant pas le réflexe de se jeter en arrière, elle plissa les yeux : il lui sembla que des corps gisaient devant *Le Petit Cambodge*, ou elle achetait parfois un plat à emporter, quand elle n'avait pas envie de cuisiner. Des corps, des cadavres ? Mais…

Sans réfléchir, elle quitta en hâte son appartement, dévala l'escalier et sortit sur le pas de la porte de l'immeuble. Ses voisins de palier, un couple de Polonais, étaient là, eux aussi, blottis l'un contre l'autre. Ils n'eurent pas le temps de se parler : un homme surgissait au coin de la rue, titubant, ensanglanté. La Polonaise poussa une sorte de couinement apeuré et rentra précipitamment dans l'immeuble, suivie par son compagnon et par Claire. Ils se regardèrent, effarés. Chacun retourna vite à son appartement.

Claire jeta de nouveau un coup d'œil par la fenêtre mais elle le fit de biais, sans s'exposer. Son cœur battait la chamade. Les coups de feu avaient maintenant cessé. En revanche, le tumulte était à son comble dans les rues. Des gens s'appelaient d'un immeuble à l'autre, d'autres demandaient en hurlant qu'on appelât la police, les pompiers, les urgences… Des plaintes, des lamentations, des éclats de voix parvenaient de l'intérieur du *Carillon* et du *Petit Cambodge*. Devant le restaurant *Maria Luisa*, une femme sanglotait frénétiquement. Claire resta tétanisée, pendant de longues minutes, le dos au mur, puis elle rejeta la tête en arrière, la cognant violemment contre le mur. Le choc la réveilla. Elle regarda autour d'elle puis alluma la télévision et se mit à passer d'une chaîne à l'autre. C'était comme si elle avait rêvé les scènes d'horreur dont elle venait d'être témoin : les films, les jeux, les séries télévisées se succédaient comme chaque soir. Et puis, sur BFM TV, il y eut soudain une interruption. Les journalistes semblaient abasourdis. La bouche ouverte, Claire regarda les premiers flashes d'information, les premières images, les commentaires anxieux et incertains. Au bout de quelques minutes, son téléphone se mit à sonner. Ses amis parisiens, sa famille qui habitait en province, tous savaient qu'elle habitait à deux pas du *Carillon* et du *Petit Cambodge*. Où était-elle ? Que faisait-elle ? Surtout qu'elle ne sorte pas ! Elle rassura les uns et les autres du mieux qu'elle put, la voix tremblante, et promit de ne pas mettre le nez dehors. Elle appela Malika, qu'elle devait retrouver boulevard Voltaire avec d'autres amis, et ce fut à ce moment-là qu'elle s'effondra. Malika, qui finissait de dîner en écoutant de la musique, n'était au courant de rien. Elle entendit Claire sangloter en disant :

— Mets la télé… regarde…

Pendant tout le reste de la soirée, elles ne cessèrent de s'appeler l'une l'autre. Chacune avait les yeux rivés sur les scènes de guerre et de panique que les chaînes de télévision relayaient sans désemparer.

Claire ne dormit pas, cette nuit. Le vacarme des sirènes des ambulances, le grondement des voitures de police, les cris et les appels dans sa rue, tout cela se répercutait dans son crâne en une terrifiante cacophonie. Vers minuit, elle jeta de nouveau un coup d'œil par la fenêtre : des riverains de la rue Bichat avaient jeté des draps depuis leurs fenêtres pour qu'on pût recouvrir les corps gisant au coin de la rue. Elle pensa que c'était une scène de guerre civile – mais qui l'avait déclarée, cette guerre ? Et qui se battait, contre qui ? Le téléphone à la main, répondant brièvement aux appels, elle passait d'une chaîne à l'autre, puis allait regarder au-dehors, du côté du *Petit Cambodge*, dont les reporters disaient maintenant qu'il était « transformé en morgue ». Le sentiment d'irréalité était d'autant plus grand qu'elle avait sous les yeux les lieux que la télévision montrait. Elle était passée devant quelques heures plus tôt et c'était maintenant une morgue ?

Et puis, les images du *Bataclan* avaient commencé à déferler sur l'écran. *Une fusillade est en cours*… Horrifiée, elle pensa qu'elle avait sans doute des amis là-bas – elle-même fréquentait régulièrement l'endroit, au croisement des boulevards Voltaire et Richard-Lenoir. Il lui semblait reconnaître chaque silhouette qui apparaissait sur l'écran, hébétée, emmitouflée dans une de ces couvertures de survie dorées que les pompiers fournissent aux rescapés des incendies ou des inondations.

Le lendemain matin, épuisée, la main crispée sur son téléphone, la télévision en sourdine, Claire était allongée à même le sol, en position fœtale. Elle portait encore ses habits de la veille. Elle se leva pour aller boire, tituba et dut s'appuyer au mur pour ne pas tomber. Elle eut une violente nausée.

Elle appela Malika.

— Je viens te voir. Je ne peux plus rester ici.

Elle sortit avec précaution, alla jusqu'au bout de la rue Marie-et-Louise, qui était bloquée par la police, jeta un rapide coup d'œil sur le *Carillon* et sur *Le Petit Cambodge*, puis rebroussa chemin. Elle marcha le long du quai de Jemmapes, à petits pas, l'angoisse au cœur. C'était un samedi matin de novembre, gris, un peu froid. Il y avait peu de monde dans les rues silencieuses. Elle aperçut, incrédule, deux joggeurs côte à côte, un homme et une femme unis dans l'effort, qui couraient le long du canal de l'Ourcq. N'étaient-ils pas *au courant ?* Elle eut la tentation de leur crier quelque chose, puis elle se reprit. Sans doute faisaient-ils partie de ces gens pour qui « la vie devait continuer, il ne fallait rien changer à ses habitudes, sinon les terroristes avaient gagné... ».

La rue de la Fontaine-au-Roi était également bloquée. Ah oui, *Casa Nostra*... Elle y avait dîné, un soir d'été... Un policier lui lança, nerveux :

— On ne passe pas !

Elle continua jusqu'à l'avenue de la République puis remonta la rue Jean-Pierre-Timbaud. *Fermeture exceptionnelle* : les deux mots étaient tracés en lettres majuscules sur une simple feuille de papier collée sur la vitrine d'une librairie. Elle en vit deux autres, du même genre. Presque tous les commerces étaient fermés, mais le kiosque à journaux du boulevard de Belleville était ouvert. Une dame âgée, un cabas orange à la main, en arrêt devant les unes des journaux, répétait mécaniquement, d'une voix à peine perceptible : « Pourquoi ?... Pourquoi ? » Le regard de Claire croisa furtivement celui du marchand de journaux, un Maghrébin entre deux âges. Il était blême et faisait un petit geste d'impuissance à chaque « pourquoi ? ».

Elle remonta la rue des Couronnes jusqu'au 50 et sonna à l'interphone. Un cliquetis signala l'ouverture de la grille. Elle gravit d'un pas pesant les marches de l'escalier, jusqu'au quatrième étage. La porte était ouverte, Malika l'attendait, les yeux rougis. Elle non plus n'avait pas dormi, cette nuit-là. Elles tombèrent dans les bras l'une de l'autre, sans un mot. Puis elles allèrent s'asseoir dans le salon. LCI diffusait en boucle les images et les reportages. Claire gémit :

— Non, je ne peux plus... Éteins, s'il te plaît.

Elle s'allongea sur le sofa et s'endormit. Malika alla chercher un drap dans l'armoire de la chambre à coucher et l'en couvrit. Elle ne se réveilla qu'en fin d'après-midi.

La nuit fut morose et le dimanche également. Elles ne sortirent pas. Blotties en pyjama sur le sofa, allumant parfois la télévision, elles regardèrent les dizaines de débats qui avaient éclos sur toutes les chaînes ; puis elles l'éteignaient, se faisaient pour la dixième fois du thé, appelaient des amis au téléphone ou bien se taisaient, épuisées, et essayaient de se plonger dans une revue ou dans un roman, pour échapper, ne fût-ce que quelques instants, à l'effroi et au chagrin.

43

À la vie !

Claire passa tout le week-end chez Malika. Le lundi, elle alla au travail puis rentra chez elle, rue Marie-et-Louise. Sur les trottoirs de la rue Bichat, on avait déposé des fleurs, des bougies à profusion, des photographies, des feuilles de papier sur lesquelles des mots avaient été griffonnés ou des cœurs malhabilement dessinés. On distinguait aussi des drapeaux français, mais aussi italiens ou brésiliens et d'autres qu'elle ne connaissait pas. De façon plus incongrue, il y avait aussi des bouteilles de bière entre les bougies, dressées comme en un geste de défi. Elle frissonna et s'engouffra dans le porche de son immeuble. Devant la porte de son appartement, elle fit une longue pause.

Le lendemain soir, elle était de nouveau rue des Couronnes, chez Malika. Assise à la table de la salle à manger, pâle, épuisée, la tête prise entre les mains, elle parlait d'une voix étrange, grave et éraillée.

— Je n'ai pas du tout envie de rentrer chez moi… Ça me déprime. C'est difficile de voir ça tous les jours.

Et quand j'ouvre la fenêtre, c'est la même chose. Je ne vois que ça, c'est comme si j'habitais devant un cimetière. Ma grand-mère habitait rue de Charenton, ses fenêtres donnaient sur le cimetière de Bercy, je ne supportais pas ça, ça me faisait pleurer quand j'étais petite, l'idée de tous ces gens morts, juste en face. Je les imaginais allongés sous les dalles, je voyais leurs… leurs *rictus*, je faisais des crises. On a cessé d'aller la voir, la pauvre, avec mes parents, il fallait qu'elle vienne chez nous, parce que nous, on ne pouvait plus. Et maintenant, j'ai ça devant chez moi ! Et puis ils disent que c'est déposé « à la mémoire des victimes », et moi, ces victimes, j'en ai croisé forcément quelques-unes, ce jour-là, il y en a peut-être qui m'ont souri… Et il reste quoi d'elles ? « Leur mémoire »… Ça me glace… Je tourne en rond dans l'appart', je ne peux pas m'approcher de la fenêtre. Je n'ai pas fermé l'œil cette nuit.

Elle s'était mise à pleurer. Malika la prit dans ses bras.

— Tu peux rester ici tant que tu veux. Tout le monde se moquait de moi, tu te souviens, quand j'ai loué ici, c'était trop grand, me disait-on, « tu as la folie des grandeurs ». Eh bien, tu vois bien : c'était pour toi. Depuis toujours.

Claire sourit à travers ses larmes.

— Merci. Et ne t'en fais pas, je ne vais pas squatter ici toute ma vie, c'est provisoire, le temps que ça aille mieux.

*

* *

Bien sûr, elles l'avaient évoqué, brièvement, dès le samedi qui avait suivi la soirée d'horreur du 13 novembre. Claire avait demandé à Malika si elle avait des nouvelles d'Ali. Elles étaient en train d'appeler tous leurs amis, alors pourquoi pas lui, puisqu'il avait été si proche de Malika ? Celle-ci s'était contentée de répondre d'un ton sec :

— Je n'ai pas son numéro. On ne parle pas de lui, tu te souviens ?

Quelques semaines plus tard, alors que les fêtes de fin d'année approchaient, Claire revint à la charge. Elle était en train de faire la vaisselle. Malika essuyait au fur et à mesure les plats et les verres que son amie lui tendait.

— Je sais qu'*on n'en parle pas*… Mais je crois que ça te ferait quand même du bien…

Malika ne répondit rien. C'était bon signe : d'habitude, elle mettait fin à la discussion, tout de suite, sans appel. Après quelques instants, Claire demanda, sans se retourner :

— Tu le regrettes ? Tu regrettes Ali ?

Malika hésita avant de répondre.

— Ali ? Lequel ? Il y en a eu deux, pour moi. Celui d'avant et celui d'après. Je veux dire : avant l'histoire du contrat et après. Ce n'était plus la même personne. Tu l'as vu toi-même. Je pourrais regretter celui d'avant, mais ça m'avancerait à quoi ?

Claire lavait maintenant une casserole dans l'évier.

— Bon, mais qu'est-ce qu'ils disent, ses copains ? Ses anciens copains ?

— Je te l'ai dit : chacun a sa version.

— Ben, dis-moi… Ou plutôt attends, donne-moi juste les extrêmes, donne-moi la plus *gore* et celle d'Hollywood, avec un joli coucher de soleil à la fin.

Malika eut un sourire sans joie.

— En gros, Hollywood, c'est qu'il est rentré au Maroc. Il a créé sa propre boîte d'informatique, de monétique, quelque chose comme ça… Et ça marche très bien. Ah oui, j'oubliais : il est devenu très pieux : la prière cinq fois par jour, le ramadan, jamais une bière… Tu vois le tableau.

— Oui, je vois. C'est Hollywood avec une barbe, quoi. Et la version gore ?

Malika soupira.

— Je n'y crois pas, à celle-là. C'est un type assez louche, un ancien collègue d'Ali, enfin, c'est ce qu'il dit… Ali ne m'a jamais parlé de lui… Bref, c'est ce type qui me l'a racontée, au *Cannibale*, au début de l'été. Il s'était assis à côté de moi, dans le coin, là où il y a la sono, tu vois ? Je crois qu'il me guettait ou même qu'il m'a suivie. Bref : selon lui – je crois qu'il s'appelle Matthieu… Selon lui, Ali et son cousin Brahim sont allés au Moyen-Orient, en Syrie peut-être. Ils seraient devenus *djihadistes*…

Claire s'était retournée.

— Non !?

— Si, si, ils se battent « pour la cause ». Enfin, c'est ce que m'a dit ce Matthieu : « Pour la cause… » Il m'a dit ça sur un ton mystérieux, à voix basse, avec un clin d'œil… Je n'ai pas réagi. Après quelques instants il m'a demandé : « Vous êtes bien Malika ? Je suis un ancien collègue d'Ali… » Quel bavard ! Et comment il tournait ses phrases… Le genre de type qui s'écoute parler.

— Ou qui écoute les autres parler…

— Qu'est-ce que tu veux dire ?

Claire expliqua posément, en faisant des gestes avec le couteau qu'elle était maintenant en train de laver :

— Ben oui : c'est évidemment un mouchard. On ne commence pas à parler de trucs aussi importants, aussi graves, dans un café, avec le premier venu…

— La première venue te remercie !

— Tu me comprends très bien.

— En tout cas, ce Matthieu, je ne sais pas si c'est un mouchard mais il *m'a* mise horriblement mal à l'aise. Avec des formules du genre : « Ali, il croit aller au paradis mais sa vie ne sera qu'une descente aux enfers. » Brrrr… C'est incroyable, il y a des gens qui parlent comme ça ? à Paris ? Aujourd'hui ? Je me suis levée et je suis partie du *Cannibale*. Je n'ai même pas fini mon café.

Claire était pensive.

— Attends, c'est pas un peu exagéré ? Le gars, Ali, un jour on lui refuse un job à Toulouse, un an après il est chez Ben Laden ? Ou dans l'État islamique ?

— J'y crois pas non plus… Mais bon, rien n'est impossible. Il y a bien des Français « de souche » qui se convertissent un jour à l'islam et puis qui finissent par aller se faire exploser à Bagdad ou à Damas.

— C'est vrai. Ce monde est fou.

Elle se mit à chantonner :

— « La bombe humaine, tu la tiens dans ta main. Tu as l'détonateur… »

Malika était estomaquée :

— Dis donc, tu as encore le cœur à chanter des trucs comme ça, toi… Après ce qui s'est passé le 13 novembre… C'était il y a à peine un mois !

— Qu'est-ce que tu veux que je fasse ? Le monde est devenu fou, je te dis… Si des Bretons vont se faire exploser en Irak, si d'autres Français de parents maghrébins se font exploser ici…

— Oui mais attends, là, on parle de folie furieuse. C'est pathologique.

Claire pointa le couteau sur son amie :

— Toi, pour Ali, qu'est-ce que tu préfères comme version, « Hollywood hirsute » ou « gore al-Qaïda » ?

Malika essuyait soigneusement un plat.

— Tu veux vraiment le savoir ?

Elle se leva et vint se placer à côté de Claire qui s'était emparée d'une assiette et la récurait énergiquement. Par la fenêtre, on pouvait voir des enfants jouer dans le jardin de la résidence.

— Ce que je préfère, c'est fermer cette porte…

Elle pointait le doigt vers la porte d'entrée.

— … sur le chaos du monde, sur la laideur de tous les fanatismes, juif, chrétien, musulman, hindou, qu'ils disparaissent ! Les chiens !

— Bravo !

— … et puis attendre que tu me serves des spaghetti à la russe arrosés d'un chianti albanais ou chinois, on s'en fout du moment que c'est bon et qu'un jour on ira jouer de la mandoline à Cordoue ou faire les folles à… je ne sais pas, à Dubrovnik ? et aller au théâtre, et voir des films, et lire plein de livres, dans toutes les langues, et faire de grandes randonnées dans le Jura comme ta tante Ginette, paix à ses cendres : sans emmerder quiconque. Ce que je préfère, c'est vivre.

— Oui !

— Vivre ! Ici et maintenant.

Tout en parlant, elle avait posé la casserole dans l'évier et s'était servi un verre de gewurztraminer. Elle le leva et déclama, exaltée et rieuse, pendant que Claire battait des mains, rayonnante :

— À la vie !

Composé par Nord Compo
à Villeneuve-d'Ascq (Nord)

Imprimé en France par

Maury Imprimeur
à Malesherbes (Loiret)
en janvier 2018

N° d'impression : 224108
Dépôt légal : janvier 2018
S27563/01